J.M. COETZEE

CHŁOPIĘCE LATA

J.M. COETZEE

CHŁOPIĘCE LATA

SCENY
Z PROWINCJONALNEGO
ŻYCIA

PRZEKŁAD
MICHAŁ KŁOBUKOWSKI

WYDAWNICTWO
ZNAK
KRAKÓW 2007

891 · 85

U037 45 966

Tytuł oryginału
Boyhood: Scenes from Provincial Life

Copyright © J.M. Coetzee, 1997
By arrangement with Peter Lampack Agency, Inc.
551 Fifth Avenue, Suite 1613
New York, NY 10176-0187, USA

Opracowanie graficzne
Witold Siemaszkiewicz

Fotografia na okładce
© David Turnley/CORBIS

Zdjęcie autora na 4 str. okładki
Micheline Pelletier/CORBIS

Opieka redakcyjna
Barbara Kęsek

Adiustacja
Urszula Horecka

Korekta
Barbara Gąsiorowska
Joanna Schoen

Łamanie
Ryszard Baster

Copyright © for the Polish translation by Michał Kłobukowski

ISBN 978-83-240-0816-2

znak | Zamówienia: Dział Handlowy, 30-105 Kraków, ul. Kościuszki 37
Bezpłatna infolinia: 0800-130-082
Zapraszamy do naszej księgarni internetowej: www.znak.com.pl

Rozdział pierwszy

Mieszkają w osiedlu na przedmieściach Worcester, między torami kolejowymi a National Road. Ulicom osiedla nadano nazwy drzew, ale same drzewa jeszcze tam nie rosną. Adres brzmi Poplar Avenue (Topolowa) dwanaście. Wszystkie okoliczne domy są nowe i identyczne. Stoją na dużych poodgradzanych drucianymi płotami działkach czerwonej, gliniastej ziemi, na której nic nie rośnie. Na podwórku za każdym domem jest niewielki budynek, a w nim tylko jeden pokój i łazienka. Rodzina, o której tu mowa, nie ma wprawdzie służby, ale nazywa ten budyneczek „służbówką". W pokoju „służbówki" trzyma się różne rzeczy: stare gazety, puste butelki, połamane krzesło, stary materac z włókna kokosowego.

W dolnej części podwórka urządzili kurnik dla trzech kur, które powinny rzekomo znosić im jajka. Ale kury kiepsko się mają. Deszczówka nie wsiąka w glinę, więc na podwórku stoją kałuże. Wybieg dla drobiu zamienia się w cuchnące mokradło. Kurom pojawiają się na łapach okropne obrzmienia, szorstkie jak słoniowa skóra. Schorowane i naburmuszone ptaki przestają się nieść. Matka chłopca radzi się swojej siostry ze Stellenbosch, która twierdzi, że kury dopiero wtedy zaczną znosić jajka, gdy wytnie im się spod języków zrogowaciałe narośle. Matka bierze więc jedną kurę po drugiej między kolana i ściska każdej dziób u nasady, zmuszając ją, żeby go otworzyła, a potem czubkiem noża do jarzyn skrobie język. Kury wrzeszczą i usiłują się wyrwać, wytrzeszczając oczy. Chłopiec wzdryga się i odwraca głowę. Myśli o tym, jak matka ciska na kuchenny blat połeć wołowiny na gulasz i kraje go w kostki; myśli o jej okrwawionych palcach.

Do najbliższego sklepu jedzie się ponad półtora kilometra ponurą drogą wzdłuż szpaleru eukaliptusów. Uwięziona w osiedlowym domku matka nie ma czym się zająć, więc po całych dniach sprząta i porządkuje. Ilekroć powieje wiatr, gliniany kurz koloru ochry wkręca się przez szpary pod drzwiami, wkrada szczelinami w okiennych framugach, pod okapami, przez spojenia stropu. Po całodziennej wichurze pod frontową ścianą zbiera się kilkunastocentymetrowa warstwa pyłu.

Kupują odkurzacz. Matka co rano jeździ nim po całym domu, wciągając kurz do ryczącego brzucha z wizerunkiem uśmiechniętego skrzata, który skacze, jakby z rozpędu brał przeszkodę. Czemu właśnie skrzat?

Chłopiec bawi się odkurzaczem: drze papier i patrzy, jak strzępy niczym liście porwane wiatrem wpadają do rury. Ustawia ją nad mrówczą ścieżką i wciąga owady w otchłań śmierci.

W Worcester są mrówki, muchy, istna plaga pcheł. Miasteczko leży niecałe sto pięćdziesiąt kilometrów od Kapsztadu, ale wszystko tu jest gorsze. Na nogach nad skarpetkami chłopiec ma obwódki z pchlich ukąszeń, a tam gdzie się drapał – strupy. Nieraz w nocy tak go swędzi, że nie może zasnąć. Nie rozumie, czemu w ogóle musieli opuścić Kapsztad.

Matka też nie potrafi znaleźć sobie miejsca.

– Chciałabym mieć konia – oświadcza. – Mogłabym wtedy chociaż pojeździć po veldzie.

– Konia! – mówi ojciec. – Kto ty jesteś, druga lady Godiva?

Matka nie kupuje konia, ale ni stąd, ni zowąd sprawia sobie rower, czarną używaną damkę, tak wielką i ciężką, że kiedy chłopiec próbuje na niej jeździć po podwórku, nie ma siły kręcić pedałami.

Matka nie umie jeździć na rowerze; może zresztą na koniu też by nie umiała. Kupiła rower, bo myślała, że na nim będzie łatwo. A teraz nie ma jej kto nauczyć.

Ojciec nie potrafi ukryć radości. Kobiety nie jeżdżą na rowerach, mówi. Matka nie spuszcza z tonu. Nie dam się uwięzić w czterech ścianach, oznajmia. Będę wolna.

Chłopiec początkowo był zachwycony, że matka ma własny rower. Nawet sobie wyobrażał, że we trójkę jadą Poplar Avenue: ona, on i jego brat. Lecz gdy tak słucha ojcowskich docinków, na które matka potrafi jedynie odpowiedzieć zaciętym milczeniem, ogarniają go wątpliwości. Kobiety nie jeżdżą na rowerach. A jeśli ojciec ma rację? Skoro matce nie udaje się znaleźć nikogo, kto zgodziłby się ją uczyć, skoro prócz niej żadna gospodyni domowa w Reunion Park nie ma roweru, to może kobiety rzeczywiście nie powinny bawić się w cyklistki.

Matka sama usiłuje się nauczyć, trenując na podwórku za domem. Zjeżdża po pochyłości w stronę kurnika, szeroko rozstawiając wyprostowane nogi. Rower przechyla się i zatrzymuje. Nie ma ramy, więc matka nie pada na ziemię, tylko jakoś tak głupio się zatacza, mocno ściskając rączki kierownicy.

Chłopiec traci do niej serce. Kiedy wieczorem ojciec zaczyna jej dogryzać, syn tworzy z nim zgodny duet. Doskonale rozumie, jakiej dopuścił się zdrady. Matka jest zupełnie osamotniona.

Mimo to w końcu nauczyła się jeździć, chociaż porusza się niepewnie, chwiejnie, z trudem kręcąc masywnymi pedałami.

Co rano wyprawia się do Worcester, kiedy chłopiec jest w szkole. Tylko raz zdarza mu się widzieć ją na rowerze. W białej bluzce i ciemnej spódnicy, z rozwianymi włosami jedzie Poplar Avenue w stronę domu. Wygląda młodo, całkiem jak dziewczyna – młoda, świeża i tajemnicza.

Ilekroć ojciec widzi oparty o ścianę ciężki czarny rower, stroi sobie z niego żarty. Twierdzi, że mieszkańcy Worcester aż przerywają pracę, żeby się pogapić na kobietę, która mija ich, mozolnie pedałując. *Trap! Trap!* – wołają za nią drwiąco: „Pchaj!". W tych żartach nie ma nic zabawnego, chociaż syn i ojciec zawsze się potem z nich razem śmieją. Matka nigdy nie umie się zdobyć na ripostę, nie ma do tego talentu.

– Śmiejcie się, jeśli chcecie – mówi.

Aż tu pewnego dnia bez żadnych wyjaśnień przestaje jeździć na rowerze. Wkrótce potem rower znika. Nikt słowem o tym nie wspomina, ale chłopiec wie, że matka została pokonana, zrozumiała, gdzie jej miejsce, a on częściowo jest temu winien. Kiedyś jej to wynagrodzę, obiecuje sobie.

Obraz matki jadącej na rowerze wciąż tkwi mu w pamięci. Matka jedzie Poplar Avenue, ucieka przed nim, goniąc za czymś, czego sama pragnie. Chłopiec nie chce, żeby odjechała. Nie chce, żeby miała własne pragnienia. Niech lepiej stale siedzi w domu i czeka powrotu syna. Rzadko zdarza mu się trzymać sztamę z ojcem przeciwko niej: całym sobą skłania się ku temu, żeby wraz z nią występować przeciwko ojcu. Lecz tym razem jego miejsce jest wśród mężczyzn.

Rozdział drugi

Z niczego się matce nie zwierza. Życie, które prowadzi w szkole, trzyma przed nią w ścisłej tajemnicy. Postanawia, że matka niczego się nie dowie prócz tego, co wyczyta ze świadectwa na koniec okresu, ono zaś ma być nienaganne. Jej syn zawsze będzie prymusem. Z zachowania dostanie ocenę bardzo dobrą, z postępów w nauce – celującą. Póki świadectwo pozostanie bez zarzutu, matka nie będzie miała prawa o nic pytać. Taką sam ze sobą zawiera umowę.

A tymczasem w szkole chłopców się chłoszcze. I to codziennie. Muszą się pochylić, aż dotkną palcami stóp, a potem nauczyciel trzciną spuszcza im lanie.

Chłopiec ma w trzeciej klasie kolegę, niejakiego Roba Harta, którego nauczycielka bije ze szczególnym upodobaniem. Wychowawczynią trzeciej klasy jest popędliwa kobieta o włosach farbowanych henną, panna Oosthuizen. Rodzice skądś wiedzą, że ona ma na imię Marie, występuje w amatorskim teatrze i nigdy nie wyszła za mąż. Oczywiście prowadzi jakieś życie poza murami szkoły, ale chłopiec nie umie go sobie wyobrazić. Nie wyobraża sobie, żeby w życiu kogokolwiek z nauczycieli działo się coś poza szkołą.

Panna Oosthuizen wpada w furię, wywołuje z ławki Roba Harta, każe mu się schylić i go chłoszcze. Razy sypią się tak gęsto, że trzcina ledwie ma czas odskoczyć od pośladków. Zanim wychowawczyni skończy wymierzać karę, Rob Hart jest czerwony na twarzy. Ale nie płacze; może w ogóle tylko dlatego się rumieni, że musiał zrobić ten głęboki skłon. Za to panna Oosthuizen dyszy, aż pierś jej faluje, i wygląda, jakby lada chwila miała zalać się łzami, a może jeszcze czym innym.

Po każdym takim wybuchu nieokiełznanej pasji cała klasa cichnie i trwa w tym wyciszeniu, póki nie zadźwięczy dzwonek.

Pannie Oosthuizen nigdy nie udaje się zmusić Roba Harta do płaczu; może dlatego tak się na niego wścieka i bije go z całej siły, mocniej niż któregokolwiek z pozostałych uczniów. Rob Hart jest najstarszy w klasie, prawie dwa lata starszy od chłopca, o którym tu mowa (ten bowiem jest z kolei najmłodszy); wygląda na to, że między Robem Hartem a panną Oosthuizen dzieje się coś, w co on sam, postronny widz, nie jest wtajemniczony.

Rob Hart odznacza się wysokim wzrostem i zawadiacką urodą. Nie jest inteligentny, może nawet nie zdać do następnej klasy, a mimo to fascynuje chłopca jako mieszkaniec świata, do którego młodszy nie znalazł jeszcze drogi: świata seksu i chłosty.

On sam wcale nie pragnie, żeby go biła panna Oosthuizen lub ktokolwiek inny. Ledwie pomyśli o chłoście, wije się ze wstydu. Zrobiłby wszystko, byle tylko uniknąć bicia. Jest pod tym względem nienormalny i zdaje sobie z tego sprawę. Pochodzi z nienormalnej, haniebnej rodziny, w której nie dość, że nie bije się dzieci, to jeszcze starszym osobom mówi się po imieniu, nikt nie chodzi do kościoła, a buty nosi się na co dzień.

Każdy nauczyciel i nauczycielka z jego szkoły ma swoją trzcinę i używa jej wedle własnego uznania. Każda trzcina obdarzona jest swoistą osobowością – charakterem, który chłopcy dobrze znają i omawiają bez końca. Ze znawstwem roztrząsają właściwości różnych trzcin i rodzaje zadawanego nimi bólu, porównując też rozmaite techniki ruchów ręki i nadgarstka, które można zaobserwować u poszczególnych nauczycieli. Nikt ani słowem nie wspomina, jaki to wstyd, kiedy cię wywołują, każą się schylić i biją w siedzenie.

Nie mając w tej sferze własnych doświadczeń, chłopiec nie może uczestniczyć w tych rozmowach. Wie jednak, że ból nie jest najważniejszym kryterium. Skoro inni chłopcy umieją go znieść, on także by potrafił: ma przecież o wiele silniejszą wolę. Ale wstydu nie zniesie. Boi się, że przytłoczony jego strasznym brzemieniem, uczepiłby się ławki i nie posłuchał wezwania nauczyciela, ściągając na siebie jeszcze gorszą hańbę: byłby odtąd napiętnowany, a reszta chłopców zwróciłaby się przeciwko niemu. Jeśli kiedyś nauczyciel wywoła go i zechce zbić, rozegra się tak upokarzająca scena, że już nigdy nie będzie mógł pójść do szkoły i w końcu pozostanie mu tylko samobójstwo.

O taką stawkę toczy się więc gra. To dlatego chłopiec ani piśnie, kiedy siedzi w klasie. Dlatego zawsze jest schludny, ma odrobione lekcje i potrafi odpowiedzieć na każde pytanie. Nie śmie pozwolić sobie na jakiekolwiek potknięcie. Gdyby się potknął, naraziłby się na chłostę; a czy jej się podda, czy stawi opór, skutek będzie ten sam: śmierć.

Dziwność sytuacji polega na tym, że wystarczyłoby jedno jedyne bicie, aby ulotniła się cała zgroza, w której szponach tkwi chłopiec. Doskonale zdaje sobie z tego sprawę; gdyby jakoś zdołano spuścić mu błyskawiczne lanie, zanim zdążyłby skamienieć i stawić opór, gdyby gwałtu na jego ciele udało się dokonać w przyspieszonym tempie, przemocą, mógłby wyjść z tej operacji jako normalny chłopak i odtąd z łatwością uczestniczyć w dyskusjach na temat nauczycieli, ich trzcin oraz różnych odcieni i posmaków zadawanego bólu. Ale sam nie umie przeskoczyć tej przeszkody.

Uważa, że winna jest matka, bo go nigdy nie biła. On wprawdzie lubi chodzić w butach, wypożyczać książki z biblioteki i opuszczać lekcje, ilekroć zdarzy mu się przeziębić (a wszystko to wyróżnia go spośród reszty chłopców), zarazem jednak czuje do matki urazę, że nie wychowała normalnych dzieci i nie narzuciła im normalnego trybu życia. Gdyby ojciec przejął władzę w domu, zrobiłby z nich normalną rodzinę. Bo ojciec pod każdym względem mieści się w normie. Syn wdzięczny jest matce za ochronę przed normalnością ojca, czyli przed ojcowskimi napadami wściekłej furii i groźbami bicia. A jednocześnie gniewa się na matkę, bo zrobiła z niego odmieńca, którego trzeba osłaniać, żeby w ogóle mógł dalej żyć.

Trzcina panny Oosthuizen wcale nie jest tą, która wywiera na nim najgłębsze wrażenie. Najstraszliwszą ma pan Lategan, nauczyciel snycerki. W przeciwieństwie do trzcin większości pedagogów nie jest długa ani giętka, lecz krótka, gruba, kikutowata: przypomina raczej kij lub pałkę niż rózgę. Krążą plotki, że pan Lategan bija nią tylko starszych chłopców, bo dla młodszych byłaby to zbyt surowa kara. Krążą plotki, jakoby pod jej razami nawet uczniom klasy maturalnej zdarzało się chlipać, błagać o litość i haniebnie moczyć się w spodnie.

Pan Lategan jest niedużym człowieczkiem z włosami ostrzyżonymi na krótkiego jeża i z wąsem. Brak mu jednego kciuka: miejsce po nim pokrywa równiutka fioletowa blizna. Pan Lategan prawie się nie odzywa. Zawsze jest trochę nieobecny, skłonny do irytacji, jakby uczenie małych chłopców snycerki było zadaniem, do którego nierad się zniża. Podczas lekcji przeważnie stoi przy oknie, patrząc na czworokątny dziedziniec, a uczniowie niezdarnie odmierzają, piłują i szlifują. Czasem ma przy sobie tę swoją kikutowatą trzcinę i od niechcenia puka się nią po nogawce spodni, nad czymś rozmyślając. Kiedy idzie w obchód po klasie, ze wzgardą wytyka błędy, a potem wzrusza ramionami i przechodzi do następnego delikwenta.

Chłopcom wolno żartować z nauczycielami na temat trzcin. Co więcej, jest to jedyna sfera, w której toleruje się lekkie kpiny z samych nauczycieli.

– Panie profesorze, niech pan ją rozśpiewa! – mówią uczniowie i wtedy pan Gouws błyska nadgarstkiem, a jego długa trzcina (najdłuższa w szkole, chociaż pan Gouws uczy tylko piątą klasę) świszcze w powietrzu.

Nikt nie żartuje sobie z pana Lategana. To, co potrafi on swoją trzciną zrobić chłopcom, którzy są już prawie mężczyznami, budzi nabożny lęk.

Kiedy ojciec i stryjowie spotykają się na farmie z okazji świąt Bożego Narodzenia, w rozmowie zawsze wracają do szkolnych lat. Wspominają nauczycieli i ich trzciny; snują wspomnienia o tym, jak w chłodne zimowe ranki trzcina zostawiała im na pośladkach niebieskie pręgi, a ciało na wiele dni zapamiętywało piekący ból. W ich słowach brzmi nuta tęsknoty i rozkosznego lęku. Chłopiec chciwie słucha, ale stara się jak najmniej rzucać w oczy. Nie chce, żeby podczas jakiejś przerwy w rozmowie zainteresowali się nim i spytali o miejsce trzciny w jego własnym życiu. Nigdy nie był bity i strasznie się tego wstydzi. Nie potrafi mówić o trzcinach z taką swobodą i znawstwem jak ci mężczyźni.

Czuje, że ma pewien defekt. Wydaje mu się, że coś w jego wnętrzu pomału pęka: jakaś ściana, błona. Usiłuje jak najszczelniej zatrzasnąć się w sobie, żeby zapanować nad tym pękaniem. Zapanować, a nie zatrzymać je, to bowiem jest niewykonalne.

Raz w tygodniu wraz z resztą klasy maszeruje przez boisko do sali gimnastycznej na wuef, wychowanie fizyczne. W szatni przebierają się w białe koszulki i spodenki. Potem pod kierunkiem pana Barnarda, również ubranego na biało, spędzają pół godziny, skacząc przez konia i trenując rzuty piłką lekarską i podskoki z klaskaniem nad głową.

Ćwiczą boso. Już na kilka dni przed lekcją gimnastyki chłopiec ze zgrozą myśli, że będzie musiał obnażyć stopy, których nigdy poza tym nie odsłania. Lecz gdy już zdejmie buty i skarpetki, okazuje się to całkiem łatwe. Musi jedynie zdystansować się wobec własnego wstydu, rozebrać się żwawo, spiesznie, a wtedy jego stopy staną się po prostu stopami, takimi samymi jak u innych chłopców. Wstyd wciąż wprawdzie nad nim wisi, gotów znów go ogarnąć, ale jest to już tylko prywatne zawstydzenie, którego pozostali chłopcy nie muszą zauważać.

Poza tym, że są miękkie i białe, jego stopy nie różnią się nawet od stóp tych uczniów, którzy w ogóle nie mają butów i przychodzą do szkoły boso. Nie lubi lekcji gimnastyki i poprzedzającego je rozbierania, lecz postanawia wytrzymać, tak jak wytrzymuje inne rzeczy.

Aż tu pewnego dnia zdarza się coś nieprzewidzianego. Mają wyjść z sali gimnastycznej na korty tenisowe, żeby uczyć się gry w tenisa drewnianymi paletkami. Do kortów jest kawałek drogi; chłopiec musi ostrożnie stąpać, starając się omijać kamyki. Korty pokrywa smołowana nawierzchnia z tłucznia, która od letniego skwaru tak się nagrzała, że nieszczęśnik przeskakuje ze stopy na stopę, chcąc uniknąć oparzeń. Z ulgą wraca do szatni i wkłada buty; ale po południu już ledwo chodzi, a gdy matka w domu go rozzuwa, okazuje się, że podeszwy stóp są całe w bąblach i krwawią.

Trzy dni siedzi w domu, póki nie wydobrzeje. Czwartego dnia zanosi do szkoły list od matki, którego oburzone sformułowania są mu znane i miłe. Niczym ranny wojownik, wracający na swoje miejsce w szeregu, kuśtyka przejściem między ławkami, żeby zasiąść za swoim pulpitem.

– Czemu nie było cię w szkole? – szepczą koledzy.

– Nie mogłem chodzić. Po tenisie całe stopy miałem w bąblach – wyjaśnia takim samym szeptem.

Spodziewa się, że zostanie to przyjęte ze zdumieniem i współczuciem, ale jego słowa budzą jedynie wesołość. Nawet ci uczniowie, którzy chodzą w butach, nie biorą poważnie jego opowieści. Im też jakimś sposobem stwardniały podeszwy stóp i już nie dostają bąbli. On jeden ma miękkie stopy, to zaś, jak się właśnie okazuje, nie jest bynajmniej tytułem do chwały. Znalazł się nagle w zupełnej izolacji – sam, a za jego plecami matka.

Rozdział trzeci

Nigdy nie zdołał rozgryźć, jaką pozycję zajmuje w domu ojciec. Właściwie nie bardzo rozumie, jakim w ogóle prawem ojcu wolno z nimi mieszkać. Gotów byłby uznać, że w normalnych rodzinach ojciec jest głową: dom należy do niego, żona i dzieci poddane są jego władzy. Lecz w tej akurat rodzinie, podobnie jak w domach dwóch sióstr matki, to właśnie matka i dzieci stanowią rdzeń, a mąż jest zaledwie na przyczepkę i wspomaga domową gospodarkę tak, jak mógłby to robić sublokator.

Odkąd pamięta, zawsze czuł się domowym książątkiem, które matka w dwuznaczny sposób popiera i trwożnie osłania; ta dwuznaczność i trwożliwość biorą się stąd, że – jak mu doskonale wiadomo – dziecko nie powinno sprawować rządów. Jeśli ma powody być o kogokolwiek zazdrosny, to nie o ojca, lecz o młodszego brata, którego matka również popiera, a nawet faworyzuje, bo młodszy jest wprawdzie dość bystry, ale mniej niż on sam i nie tak śmiały ani skłonny do podejmowania ryzyka. Właściwie odnosi się wrażenie, że ona nieustannie czuwa nad młodszym bratem, aby móc w każdej chwili odeprzeć wszelkie niebezpieczeństwo; natomiast starszy czuje tylko, że matka krąży gdzieś w tle i czeka, nasłuchuje, gotowa przybyć na jego wezwanie.

Chciałby, żeby zachowywała się wobec niego tak samo, jak zachowuje się wobec brata. Ale pragnie tego jedynie jako znaku, dowodu, niczego więcej. Wie, że wpadłby w furię, gdyby kiedyś zechciała stale nad nim czuwać.

Raz po raz zapędza ją w kozi róg, próbując wydębić od niej wyznanie, kogo bardziej kocha: jego czy brata. A ona zawsze potrafi wymknąć się z pułapki.

– Kocham was obu jednakowo – twierdzi z uśmiechem.

Nawet przed jego najbardziej podchwytliwymi pytaniami (a co by było, gdyby na przykład w domu wybuchł pożar i miałaby akurat tyle czasu, żeby uratować tylko jednego z synów?) potrafi zrobić unik.

– Obu – odpowiada. – Na pewno uratowałbym was obu. A zresztą dom się nie zapali.

Chłopiec wprawdzie pokpiwa z tego, że ona wszystko rozumie tak dosłownie, ale szanuje jej niezłomną stałość.

Jego napady wściekłości na matkę są jednym z sekretów, które musi starannie ukrywać przed światem zewnętrznym. Tylko rodzice i brat wiedzą, jakie wylewa na nią potoki wzgardy, jak bardzo z góry ją traktuje.

– Gdyby twoi nauczyciele i koledzy słyszeli, jak się odzywasz do matki... – mówi ojciec, znacząco kiwając palcem. Chłopiec nienawidzi ojca za to, że ten tak wyraźnie widzi szczelinę w jego pancerzu.

Chciałby, żeby ojciec nareszcie go zbił i przemienił w normalnego chłopca. Zarazem jednak wie, że gdyby ojcu starczyło śmiałości, aby go uderzyć, nie spocząłby, póki by się nie zemścił. Oszalałby, jeśliby ojciec go uderzył: byłby jak opętany, niczym osaczony szczur, który miota się w kącie, kłapiąc jadowitymi kłami, tak niebezpieczny, że nie można go dotknąć.

W domu jest porywczym despotą, a w szkole jagnięciem, potulnym i łagodnym: zawsze siedzi w przedostatnim rzędzie, tym najmniej widocznym, starając się nie rzucać w oczy, i cały sztywnieje ze strachu, ilekroć zaczyna się chłosta. Prowadząc to podwójne życie, wziął na siebie brzemię mistyfikacji. Nikt inny nie musi dźwigać porównywalnego ciężaru, nawet młodszy brat, który w najgorszym razie jest tylko jego nerwowym, niewydarzonym sobowtórem. Chłopiec w głębi duszy wręcz podejrzewa, że brat może być normalny, podczas gdy on zdany jest wyłącznie na siebie. Znikąd nie może oczekiwać pomocy. Sam musi znaleźć sposób, jak wydobyć się z ram dzieciństwa, rodziny i szkoły, żeby zacząć nowe życie, w którym nie będzie już potrzeby udawania.

Dzieciństwo, stwierdza *Encyklopedia dla dzieci*, to czas niewinnej radości, który należy przeżyć na łąkach wśród jaskrów i króliczków albo przy kominku, z głębokim przejęciem czytając bajki. Ta wizja dzieciństwa jest chłopcu zupełnie obca. Wszystko, co przeżywa w Worcester, tak w domu, jak i w szkole, utwierdza go w przekonaniu, że dzieciństwo to jedynie czas zaciskania zębów i znoszenia przeciwieństw losu.

W Worcester nie ma drużyny wilczków, więc dostaje zgodę na wstąpienie do skautów, chociaż ma dopiero dziesięć lat. Starannie przygotowuje się na tę uroczystą chwilę. Idzie z matką do sklepu z ekwipunkiem i razem kupują mundurek: sztywny pilśniowy kapelusz w kolorze oliwkowego brązu ze srebrną odznaką, piaskową koszulę, spodenki i skarpety, skórzany pasek ze skautowską klamrą, zielone naszywki i tegoż koloru szewrony. Wycina z gałęzi topoli półtorametrowy kij, zestruguje z niego korę, a potem przez jedno popołudnie rozgrzanym śrubokrętem wypala w białym drewnie alfabet Morse'a i wszystkie znaki sygnalizacji chorągiewkowej. Idąc na pierwszą zbiórkę, niesie ten kij przewieszony przez ramię na zielonych sznurach, które własnoręcznie splótł w warkocz. Kiedy składa przysięgę, salutując dwoma palcami, jest niewątpliwie najstaranniej wyekwipowany ze wszystkich nowo przyjętych, żółtodziobów.

Okazuje się, że przynależność do skautów, podobnie jak nauka w szkole, polega na zdawaniu egzaminów. Za każdy zdany egzamin dostaje się naszywkę, którą potem samemu przyczepia się do koszuli.

Kolejność egzaminów jest z góry ustalona. Pierwszy zdaje się z wiązania węzłów: refowych w wersji pojedynczej i podwójnej, skrótowego oraz ratowniczego. Chłopiec zdaje, ale bez wyróżnienia. Nie bardzo rozumie, co trzeba zrobić, żeby pozdawać te skautowskie egzaminy z wyróżnieniem, wybić się ponad przeciętność.

Drugi egzamin zdaje się, aby zdobyć odznakę leśnego człowieka. Trzeba w tym celu rozpalić ognisko, nie podkładając papieru i zużywając najwyżej trzy zapałki. Na gołej ziemi obok anglikańskiej sali parafialnej, w zimowy wieczór, przy lodowatym wietrze, chłopiec układa stosik gałązek i skrawków kory, a następnie pod bacznym spojrzeniem zastępowego i drużynowego pociera kolejnymi zapałkami o draskę. Bez powodzenia: wiatr za każdym razem zdmuchuje maleńki płomyczek. Zastępowy i drużynowy odwracają się. Nie mówią: „oblałeś", więc nie jest pewien, czy rzeczywiście oblał. A może odchodzą, żeby się naradzić, a potem oświadczą, że z powodu wiatru sprawdzian był niesprawiedliwie trudny? Czeka, aż wrócą. Czeka, aż mimo wszystko dadzą mu odznakę leśnego człowieka. Nic się jednak nie dzieje. Chłopiec stoi przy swojej kupce gałązek i nic się nie dzieje.

Nikt więcej nie wspomina o tym zdarzeniu. To jego pierwszy w życiu oblany egzamin.

W każde wakacje skauci jadą w czerwcu na obóz. A on nigdy nie rozstawał się z matką, jeśli nie liczyć tygodnia, który jako czterolatek spędził w szpitalu. Ale uparł się, że pojedzie ze skautami.

Jest cała lista rzeczy do zabrania. Między innymi plandeka. Matka nie ma plandeki i nawet nie bardzo wie, co to takiego. Zamiast niej daje mu czerwony nadmuchiwany materac gumowy. Na obozie okazuje się, że wszyscy inni chłopcy mają przepisowe plandeki w piaskowym kolorze. A on ze swoim czerwonym materacem natychmiast odstaje od reszty. Nie potrafi też zmusić się do tego, żeby się wypróżnić nad cuchnącym dołem w ziemi.

Trzeciego dnia obozu idą pływać w rzece Breede. Kiedy mieszkał w Kapsztadzie, wraz z bratem i kuzynem jeździł pociągiem do Fish Hoek, gdzie całymi popołudniami łazili po skałach, budowali zamki z piasku i chlapali się w wodzie, ale właściwie nie umie pływać. A teraz jako skaut musi przepłynąć na drugi brzeg rzeki i z powrotem.

Nienawidzi rzek, bo są mętne, błoto włazi między palce i można nadepnąć na zardzewiałe puszki i potłuczone butelki; woli morski piasek, czysty i biały. Ale skacze do wody i jakoś udaje mu się dostać na drugi brzeg. Uczepia się korzenia drzewa, znajduje grunt pod nogami i staje zanurzony po pas w ponurej, brązowej wodzie, szczękając zębami.

Pozostali chłopcy zawracają i płyną tam, skąd przybyli, a on zostaje sam. Nie ma innego wyjścia: musi zanurzyć się z powrotem w wodzie.

W połowie szerokości rzeki słabnie. Przestaje płynąć i próbuje stanąć na dnie, ale jest za głęboko. Zanurza się z głową. Usiłuje się poderwać i popłynąć dalej, lecz brak mu sił. Znów idzie pod wodę.

Ukazuje mu się matka, która siedzi na krześle z wysokim prostym oparciem i czyta list zawiadamiający o jego śmierci. Brat stoi obok i też czyta, zaglądając jej przez ramię.

Kiedy odzyskuje przytomność, leży na brzegu, a jego zastępowy (na imię mu Michael, ale chłopiec jak dotąd ani razu nie ośmielił się do niego odezwać) siedzi na nim okrakiem. Niedoszły topielec zamyka oczy, przepełniony błogością. Jest uratowany.

Potem całymi tygodniami myśli o Michaelu – o tym, jak Michael, ryzykując własne życie, dał nura do rzeki, żeby go wyratować. Za każdym razem wydaje mu się istnym cudem, że zastępowy w ogóle zauważył, co się dzieje: że chłopiec sobie nie radzi. W porównaniu z Michaelem (który chodzi do siódmej klasy, ma wszystkie naszywki prócz tych najbardziej nieosiągalnych i niebawem zostanie królewskim skautem) on sam jest przecież nikim. Gdyby zastępowy nie dostrzegł zmagań chłopca z rzecznym nurtem, a nawet i samą jego nieobecność spostrzegł dopiero po powrocie do obozu, nie byłoby w tym nic nienaturalnego. Michael musiałby potem jeszcze tylko napisać do matki chłodny, formalny list zaczynający się od słów: „Z żalem zawiadamiamy...".

Odtąd chłopiec wie, że ma w sobie coś wyjątkowego. Powinien był umrzeć, ale nie umarł. Choć tak niewiele jest wart, podarowano mu drugie życie. Był już martwy, a jednak wciąż żyje.

O tym, co wydarzyło się podczas obozu, nie piśnie matce ani słowa.

Rozdział czwarty

Wielki sekret szkolnego życia, tajemnicę, której chłopiec nie zdradza nikomu z rodziny, stanowi to, że w pewnym sensie przeszedł na katolicyzm i w zasadzie „jest" teraz katolikiem obrządku rzymskiego.

Trudno w domu poruszyć ten temat, ponieważ jego rodzina „jest" w tej sferze zupełnie nijaka. Oczywiście są Południowoafrykańczykami, ale ta południowoafrykańskość też budzi lekkie zażenowanie, więc się o niej nie mówi, bo nie każdy mieszkaniec Południowej Afryki jest Południowoafrykańczykiem, a jeśli nawet, to niekoniecznie takim, jakim być należy.

Jego krewni nie mają absolutnie żadnej tożsamości religijnej. Nawet w rodzinie ojca, spokojniejszej i bardziej zwyczajnej niż rodzina matki, nikt nie chodzi do kościoła. Chłopiec był w kościele tylko dwa razy w życiu: kiedy go chrzczono i potem na nabożeństwie z okazji zwycięstwa w drugiej wojnie światowej.

Decyzję, żeby odtąd „być" rzymskim katolikiem, podjął pod wpływem chwilowego impulsu. Pierwszego ranka w nowej szkole, kiedy reszta klasy pomaszerowała do auli na apel, jemu oraz trzem innym nowym kazano zostać.

– Jakiego jesteś wyznania? – pyta ich po kolei nauczycielka.

Chłopiec zerka w prawo, w lewo. Jak brzmi prawidłowa odpowiedź? Jakie religie ma do wyboru? Czy to trochę tak jak z Rosjanami i Amerykanami? Przychodzi jego kolej.

– Jakiego jesteś wyznania? – pyta nauczycielka.

Chłopiec się poci; nie wie, co powiedzieć.

– Jesteś chrześcijaninem, katolikiem obrządku rzymskiego czy Żydem? – niecierpliwie drąży kobieta.

– Katolikiem obrządku rzymskiego – pada odpowiedź.

Po zakończeniu przepytywania nauczycielka daje znak jemu i jeszcze jednemu chłopcu, który zadeklarował się jako Żyd, że mają zostać; dwaj, którzy powiedzieli, że są chrześcijanami, idą na apel.

On i ten drugi czekają, niepewni, co im się jeszcze przydarzy. Ale nie dzieje się nic. Korytarze są puste, w gmachu panuje cisza, nie został nikt z nauczycieli.

Wychodzą na boisko i dołączają do zbieraniny chłopców, którzy także nie poszli na apel. Jest akurat sezon kulek; wśród obco brzmiącej ciszy pustego boiska, nad którym niesie się gruchanie gołębi i słaby, daleki pogłos pieśni, grają w kulki. Czas mija. A potem dzwonek oznajmia koniec apelu. Pozostali chłopcy wracają z auli, maszerując w ordynku, klasa za klasą. Niektórzy są chyba w złym humorze.

– *Jood!* – syczy jakiś mały Afrykaner, mijając chłopca. – Żyd!

Kiedy dwaj nowi dołączają do reszty klasy, nikt się nie uśmiecha.

Epizod ten burzy mu spokój. Pozostaje nadzieja, że nazajutrz jemu i reszcie nowych znów ktoś każe zostać chwilę przed apelem i jeszcze raz dokonać wyboru. A wtedy on, który za pierwszym razem najwyraźniej popełnił błąd, naprawi go, oświadczając, że jest chrześcijaninem. Lecz ta szansa nie będzie mu dana.

Oddzielanie owiec od kóz powtarza się dwa razy w tygodniu. Żydów i katolików powierza się ich własnej pomysłowości, a chrześcijanie idą do auli śpiewać hymny i słuchać kazania. Z zemsty za to, a także za wszystko, co Żydzi uczynili Chrystusowi, chłopcy z afrykanerskich rodzin (rośli, brutalni, sękaci) łapią czasem jakiegoś Żyda lub katolika i dają mu parę fang w biceps – krótkich, perfidnych uderzeń knykciami – kopią kolanem w genitalia albo wykręcają do tyłu ręce, póki nie zacznie błagać o litość.

– *Asseblief!* – jęczy ofiara. – Proszę!

– *Jood!* – syczy oprawca. – *Jood! Vuilgoed!* Żyd! Obrzydliwiec!

Pewnego dnia w czasie przerwy obiadowej dwaj Afrykanerzy osaczają go i ciągną w najdalszy narożnik boiska do rugby. Jeden z nich jest olbrzymim grubasem. Chłopiec usiłuje ich przebłagać.

– *Ek is nie 'n Jood nie* – mówi. – Nie jestem Żydem.

Obiecuje, że da im pojeździć na swoim rowerze, gotów jest im go pożyczyć na całe popołudnie. Im więcej gada, tym szerzej uśmiecha się grubas. Najwidoczniej to właśnie lubi: cudze błaganie i poniżenie.

Gruby wyciąga coś z kieszeni koszuli i wtedy zaczyna się wyjaśniać, czemu chłopca zawleczono w ten cichy kącik: w palcach grubasa wije się zielona gąsienica. Jego kolega wykręca więźniowi ręce do tyłu, a grubas ściska mu nasadę żuchwy, póki usta się nie otworzą, a potem wpycha w nie gąsienicę. Chłopiec wypluwa ją, już rozdartą, ociekającą własnym sokiem. Grubas ją miażdży i rozmazuje po ustach ofiary.

– *Jood!* – mówi, wycierając dłoń o trawę.

W tamten fatalny ranek postanowił zostać rzymskim katolikiem, bo mu się to kojarzyło z Rzymem, z Horacjuszem i jego dwoma towarzyszami, którzy z mieczami w prawicach, w grzebieniastych hełmach, z niezłomną odwagą w oczach bronili mostu nad Tybrem przed etruskimi hordami. A teraz stopniowo dowiaduje się od innych małych katolików, kim naprawdę jest rzymski katolik. Otóż nie ma on nic wspólnego z Rzymem. Rzymscy katolicy nigdy nie słyszeli o Horacjuszu. Rzymscy katolicy w każdy piątek po południu chodzą na katechezę, do spowiedzi i przyjmują komunię. Ot i wszystkie zajęcia rzymskich katolików.

Starsi chłopcy z katolickich rodzin przypierają go do muru pytaniami: czy chodził na katechezę, czy był u spowiedzi i u Pierwszej Komunii. Katecheza? Spowiedź? Komunia? Przecież on nawet nie wie, co te słowa znaczą.

– Owszem, w Kapsztadzie – odpowiada wymijająco.

– A gdzie? – naciskają.

Nie zna wprawdzie nazw żadnych kapsztadzkich kościołów, ale tamci nie są ani trochę lepiej poinformowani.

– Przyjdź w piątek na katechezę – rozkazują mu, a kiedy się nie zjawia, donoszą księdzu, że w trzeciej klasie jest apostata, po czym przekazują chłopcu komunikat duchownego: ma chodzić na katechezę. Podejrzewa, że sami zmyślili to polecenie, ale w najbliższy piątek przyczaja się w domu.

Katolicy ze starszych klas zaczynają wyraźnie dawać mu do zrozumienia, że nie wierzą w jego bajki o tym, jak był katolikiem w Kapsztadzie. Ale za daleko już się zapędził, nie ma odwrotu. Jeśli powie „pomyłka, właściwie jestem chrześcijaninem", okryje się hańbą. A zresztą choć musi znosić drwiny Afrykanerów i przesłuchania prawdziwych katolików, czy nie warto poddawać się temu wszystkiemu w zamian za dwie wolne godziny tygodniowo, podczas których może swobodnie włóczyć się po pustych boiskach i rozmawiać z Żydami?

W któreś sobotnie popołudnie, gdy całe Worcester śpi, oszołomione upałem, bierze rower i jedzie na Dorp Street.

Zwykle omija tę ulicę szerokim łukiem, bo właśnie przy niej stoi katolicki kościół. Lecz tego akurat dnia ulica jest pusta, słychać tylko szmer wody w rynsztokach. Chłopiec nonszalancko przejeżdża obok kościoła, ukradkiem spoglądając w jego stronę.

Kościół okazuje się mniejszy, niż się spodziewał: niski, nijaki budynek z niewielkim posążkiem nad portykiem – figurą zakapturzonej Dziewicy z dzieckiem na ręku.

Zjeżdża na sam dół ulicy. Ma ochotę zawrócić i jeszcze raz rzucić okiem, ale boi się igrać z losem, bo a nuż wyjdzie nagle jakiś ksiądz w czarnej sutannie i machnie na niego, każąc się zatrzymać.

Katolicy dokuczają mu i nie szczędzą szyderczych uwag, chrześcijanie go prześladują, za to Żydzi powstrzymują się od wszelkich ocen. Udają, że niczego nie zauważają. Oni także chodzą w butach. Pod pewnymi mało ważnymi względami chłopiec wśród Żydów czuje się swobodnie. Żydzi nie są tacy źli.

Ale z Żydami trzeba uważać. Bo Żydów wszędzie jest pełno, opanowują cały kraj. Słyszy to zewsząd, lecz zwłaszcza od wujów, dwóch nieżonatych braci matki, ilekroć przyjeżdżają z wizytą. Norman i Lance ściągają każdego lata jak wędrowne ptaki, chociaż rzadko zjawiają się równocześnie. Sypiają na kanapie, wstają o jedenastej rano, godzinami szwendają się po domu półubrani, rozczochrani. Obaj mają samochody; niekiedy daje się ich

namówić, żeby zabrali chłopca na popołudniową przejażdżkę, ale chyba wolą palić papierosy, popijać herbatę
i rozmawiać o dawnych czasach. Potem jedzą kolację, a po
kolacji aż do północy grają w pokera albo w remika z każdym, kto da się przekonać, że warto zarwać noc.

Chłopiec uwielbia słuchać, jak matka i wujowie po raz
tysięczny wspominają zdarzenia z dzieciństwa, które spę-
dzili na farmie. Najszczęśliwszy jest właśnie wtedy, gdy
słucha tych opowieści oraz towarzyszących im pokpiwań
i wybuchów śmiechu. W rodzinach jego kolegów nie opowiada się takich historii. To go właśnie wyróżnia: stoją za
nim dwie farmy – jedna matki, druga ojca – i opowieści
z tych farm. Poprzez farmy zakorzeniony jest w przeszłości; dzięki farmom coś znaczy.

Jest jeszcze trzecia farma: Skipperskloof koło Williston. Jego rodzina nie ma tam żadnych korzeni, w tę farmę
tylko się wżenili. Ale Skipperskloof też jest ważna. Wszystkie farmy są ważne. To oazy wolności, życia.

W historyjkach, które opowiadają Norman, Lance
i matka, przewijają się postaci Żydów, komicznych, spryt-
nych, lecz zarazem przebiegłych i bezlitosnych jak szakale. Żydzi z Oudtshoorn co roku przyjeżdżali na farmę
kupować strusie pióra od dziadka, czyli ojca trójki opo-
wiadających. Namówili go, żeby dał sobie spokój z weł-
ną i zajął się wyłącznie hodowlą strusi. Twierdzili, że na
strusiach się wzbogaci. Aż tu pewnego dnia handel stru-
simi piórami zupełnie się załamał. Żydzi nie chcieli ich
już kupować, więc dziadek zbankrutował. Wszyscy sąsiedzi zbankrutowali, a Żydzi przejęli ich gospodarstwa. To
dla nich typowe postępowanie, mówi Norman: nigdy nie
ufaj Żydowi.

Ojciec skromnie milczy. Nie stać go na potępianie Żydów, skoro u Żyda pracuje. Fabryka konserw Standard

Canners, w której jest księgowym, należy do Wolfa Hellera. To właśnie Heller ściągnął go z Kapsztadu do Worcester, kiedy ojciec stracił posadę urzędnika. Przyszłość całej rodziny związana jest z przyszłością Standard Canners. Wolf Heller w ciągu zaledwie kilku lat od przejęcia firmy wyrósł wraz z nią na potentata przemysłowego. Ojciec twierdzi, że jako wysoko kwalifikowany prawnik ma w Standard Canners wspaniałe perspektywy.

A zatem krytyczne uwagi pod adresem ogółu Żydów nie dotyczą Wolfa Hellera. Wolf Heller dba o pracowników. Daje im nawet prezenty na Boże Narodzenie, chociaż to święto jest Żydom obojętne.

Żadne z jego dzieci nie chodzi do szkoły w Worcester. Jeśli w ogóle są na świecie jacyś mali Hellerowie, posłano ich zapewne do Południowoafrykańskiego Koledżu w Kapsztadzie, który jest szkołą *stricte* żydowską, choć nie odzwierciedla się to w jego nazwie. W Reunion Park też nie spotyka się żydowskich rodzin. Żydzi z Worcester mieszkają w starszej, zieleńszej i bardziej cienistej dzielnicy. Chociaż w klasie jest kilku Żydów, nigdy nie zapraszają oni chłopca do siebie do domu. Widuje ich tylko w szkole, a zbliża się do nich w czasie apeli, kiedy Żydzi i katolicy są izolowani od reszty i narażeni na gniew chrześcijan.

Ale co pewien czas z niezbyt jasnych powodów cofnięta zostaje dyspensa, która podczas apelu zapewnia im wolność, i wzywa ich się do auli.

Ta zawsze wypełniona jest po brzegi. Chłopcy ze starszych klas zajmują krzesła, a ci z młodszych siedzą stłoczeni na podłodze. Żydzi i katolicy – w sumie może ze dwudziestu – przedzierają się przez tłum, szukając wolnych miejsc. Cudze dłonie ukradkiem chwytają ich za kostki, próbując przewrócić.

Kaznodzieja – blady młodzieniec w czarnym garniturze z białym krawatem – stoi już na podwyższeniu. Mówi wysokim, śpiewnym tonem, przeciągając dyftongi i z pedantyczną dykcją wymawiając każdą głoskę. Po kazaniu wszyscy muszą wstać do modlitwy. Jak powinien się zachować katolik, kiedy chrześcijanie się modlą? Zamknąć oczy i poruszać ustami czy raczej udawać, że go nie ma? Chłopiec nigdzie nie widzi żadnego z prawdziwych katolików; robi minę bez wyrazu i mętnym wzrokiem patrzy przed siebie.

Kaznodzieja siada. Uczniom rozdaje się śpiewniki. Jedna z nauczycielek staje przed zebranymi i zaczyna dyrygować.

– *Al die veld is vrolik, al die voëltjies sing* – śpiewają młodsi. Potem wstają starsi.

– *Uit die blou van onse hemel* – intonują głębokimi głosami, wyprężeni na baczność, surowym wzrokiem patrząc prosto przed siebie: śpiewają hymn, s w ó j hymn państwowy. Młodsi przyłączają się do nich niepewnym, nerwowym chórem. Nauczycielka stara się podnieść ich na duchu, ośmielić, pochyla się nad nimi i wymachuje rękami, jakby zgarniała naręcza piór.

– *Ons sal antwoord op jou roepstem, ons sal offer wat jy vra* – śpiewają. – Odpowiemy na twe wezwanie.

I wreszcie apel się kończy. Nauczyciele schodzą z podwyższenia: najpierw dyrektor, później kaznodzieja, a za nimi cała reszta. Uczniowie opuszczają aulę. Czyjaś pięść uderza chłopca w nerkę, niewidzialna, zadając krótki, szybki cios.

– *Jood!* – syczy ktoś. Po chwili chłopiec wychodzi za drzwi auli, jest wolny, znów może odetchnąć świeżym powietrzem.

Mimo pogróżek prawdziwych katolików, mimo wiszącej nad nim groźby, że ksiądz odwiedzi rodziców i go zdemaskuje, błogosławi chwilę natchnienia, które kazało mu wybrać Rzym. Wdzięczny jest Kościołowi, który roztoczył nad nim skrzydła; niczego nie żałuje, ani trochę nie pragnie przestać być katolikiem. Skoro chrześcijaństwo polega na tym, że śpiewa się hymny i słucha kazań, a po wyjściu z auli dręczy Żydów, wcale nie chce zostać chrześcijaninem. Nie jego wina, że katolicy z Worcester są wprawdzie katolikami, ale nie Rzymianami, że nic nie wiedzą o Horacjuszu i jego towarzyszach, którzy zagrodzili wrogowi drogę przez most nad Tybrem („Tybr, ojciec Tybr, do którego modlimy się my, Rzymianie"), o Leonidasie i jego Spartanach, co zagrodzili wrogowi drogę przez Termopile, o Rolandzie, co zagrodził drogę Saracenom. Nie wyobraża sobie większego bohaterstwa niż zagrodzenie wrogowi drogi, niczego szlachetniejszego niż to, że człowiek oddaje życie, aby ocalić innych ludzi, którzy będą potem opłakiwali jego trupa. Tym właśnie chciałby zostać: bohaterem. Tak powinien wyglądać prawdziwie rzymski katolicyzm.

Nastał letni wieczór, chłodny po długim, skwarnym dniu. Chłopiec jest w ogrodach publicznych, w których grał w krykieta z Greenbergiem i Goldsteinem: Greenberg dobrze się uczy, ale słaby z niego krykiecista; Goldstein ma duże piwne oczy, nosi sandały i wygląda całkiem szykownie. Zrobiło się późno, dawno minęło pół do ósmej. Prócz ich trzech w ogrodach nie ma nikogo. Musieli zakończyć grę, bo w półmroku nie widać już piłki. Zaczęli więc siłować się, jakby się cofnęli do wczesnych lat dzieciństwa, tarzając się po trawie, łaskocząc się nawzajem i chichocząc. Chłopiec wstaje i bierze głęboki wdech. Przenika go fala euforii. Nigdy w życiu nie byłem szczęśliwszy, myśli. Chciałbym na zawsze zostać z Greenbergiem i Goldsteinem.

Rozstają się. To prawda: chciałby zawsze tak żyć, jeżdżąc na rowerze po szerokich, pustych ulicach Worcester wśród letniego zmierzchu, kiedy wszystkie dzieci zawołano już do domów i tylko on porusza się swobodnie jak król.

Rozdział piąty

To, że jest katolikiem, stanowi dla niego element życia, które toczy się wyłącznie w szkole. Ale przedkładanie Rosjan nad Amerykanów to sekret tak mroczny, że chłopiec nikomu nie może go zdradzić. Sympatia do Rosjan to poważna sprawa. Można się przez nią narazić na ostracyzm.

Ma w komodzie pudełko, a w nim zeszyt ze swoimi rysunkami z roku 1947 – okresu, w którym Rosjanie najbardziej go pasjonowali. Porobił je grubym ołówkiem i pokolorował woskowymi kredkami, przedstawiając rosyjskie samoloty, które zestrzeliwują amerykańskie maszyny, i rosyjskie okręty zatapiające amerykańskie jednostki. Chociaż opadły już emocje tamtego gorącego czasu, kiedy to z radia chlusnęła nagle fala wrogości do Rosjan i każdy musiał się opowiedzieć po jednej lub drugiej stronie, chłopiec potajemnie dochowuje wierności Rosjanom, a zwłaszcza sobie takiemu, jaki był, gdy tworzył te rysunki.

Nikt w Worcester nie wie, że on lubi Rosjan. W Kapsztadzie bawił się z kolegą Nickym w wojnę ołowianym wojskiem i nakręcaną armatką, z której strzelało się zapałkami; lecz gdy się przekonał, jak niebezpieczne jest przywiązanie do czerwonej gwiazdy i ile go może kosztować, najpierw odebrał od Nicky'ego przysięgę milczenia, a potem na wszelki wypadek powiedział mu, że przeszedł na drugą stronę i teraz woli Amerykanów.

W Worcester tylko on jeden lubi Rosjan. Ta lojalność czyni z niego zupełnego odmieńca.

Skąd wzięło się to oczarowanie, które nawet jemu samemu wydaje się dziwne? Otóż jego matce na imię Vera: Vera, z wielkim lodowatym V, lecącą w dół strzałą. Vera, powiedziała mu kiedyś matka, to imię rosyjskie. Kiedy po raz pierwszy dano mu do wyboru dwa wrogie obozy – Rosjan i Amerykanów (Kogo wolisz, Smutsa czy Malana? Kogo wolisz, Supermana czy Kapitana Marvela? Kogo wolisz, Rosjan czy Amerykanów?) – opowiedział się za Rosjanami z tego samego powodu, dla którego wybrał Rzymian: ponieważ lubi literę „r", zwłaszcza duże „R", najsilniejsze z całego alfabetu.

Wybrał Rosjan w roku 1947, kiedy wszyscy wybierali Amerykanów; a gdy już podjął tę decyzję, rzucił się w otchłań lektur na ich temat. Jego ojciec kupił trzytomową historię drugiej wojny światowej. Chłopiec uwielbiał te książki i ślęczał nad nimi, nad fotografiami rosyjskich narciarzy w białych mundurach, rosyjskich żołnierzy z pepeszami, biegnących zygzakiem przez ruiny Stalingradu, rosyjskich dowódców czołgów, którzy patrzyli przed siebie przez lornetki. (Rosyjski T-34 był najlepszym czołgiem na świecie, lepszym niż amerykański sherman, a nawet niemiecki tygrys). Raz po raz wracał do reprodukcji przedstawiającej pilota rosyjskiego bombowca, który nurkuje nad płonącą, rozbitą kolumną niemieckich czołgów. Uznał za swoje wszystko, co rosyjskie: surowego, lecz ojcowskiego generalissimusa Stalina, największego i najbardziej dalekowzrocznego stratega tej wojny; borzoja, rosyjskiego charta, najszybszego spośród psów. Wiedział wszystko, czego można się było dowiedzieć o Rosji: znał powierzchnię jej obszaru lądowego w kilometrach kwadratowych, wydajność produkcji węgla i stali w tonach, długość każdej z największych rzek – Wołgi, Dniepru, Jeniseju, Obu. A potem dezaprobata rodziców i zdumienie kolegów, a także ich meldunki o tym, co powiedzieli ich rodzice na wieść, że on lubi Rosjan, uświadomiły mu ważną sprawę: ta sympatia jest źle widziana, wręcz zabroniona.

Wygląda na to, że zawsze coś musi się popsuć. Czegokolwiek chłopiec zapragnie, cokolwiek polubi, prędzej czy później zmuszony jest ukrywać. Zaczyna czuć się jak jeden z tych pająków, które żyją w ziemnych jamkach zamykanych klapką. Taki pająk raz po raz musi czmychać z powrotem do swojej jamki, zatrzaskując za sobą klapkę, odcinając się od świata, kryjąc.

W Worcester trzyma swoją rosyjską przeszłość w tajemnicy, ukrywa zeszyt z nagannymi rysunkami, na których wrogie samoloty spadają do oceanu, wlokąc za sobą kłęby dymu, a okręty wojenne dziobem naprzód idą pod wodę. Zamiast rysowania zajmuje się grą w wyimaginowanego krykieta. Gra drewnianą plażową paletką i piłką do tenisa. Chodzi o to, żeby piłka jak najdłużej utrzymała się w powietrzu. Godzinami krąży wokół stołu w jadalni, podbijając piłkę. Wszystkie wazony i bibeloty zawczasu uprzątnięto; ilekroć piłka uderza w sufit, spada deszcz drobniutkiego czerwonego pyłu.

Rozgrywa całe mecze, mając w każdej drużynie jedenastu pałkarzy, z których każdy uderza piłkę dwukrotnie. Każde trafienie liczy się za jeden bieg. Kiedy chłopiec na chwilę się dekoncentruje i nie trafia w piłkę, zdejmuje pałkarza z boiska i zapisuje na karcie jego wynik. Rosną olbrzymie liczby: pięćset, sześćset biegów. Pewnego razu reprezentacja Anglii zalicza ich tysiąc, co w rzeczywistości nigdy żadnej drużynie się nie udało. Czasem wygrywa Anglia, czasem Południowa Afryka; rzadziej Australia lub Nowa Zelandia.

Rosja i Ameryka nie grają w krykieta. Amerykanie grają w baseball; Rosjanie chyba w ogóle w nic nie grają – może dlatego, że u nich stale pada śnieg.

Chłopiec nie wie, co robią Rosjanie, kiedy akurat nie prowadzą wojny.

Nie opowiada kolegom o swoich prywatnych meczach krykieta, nie wychodzi z tą zabawą poza dom. Kilka miesięcy po przeprowadzce do Worcester chłopak z tej samej klasy wszedł przez otwarte drzwi, kiedy on akurat leżał na wznak pod krzesłem.

– Co tam robisz? – zapytał kolega.

– Myślę – bez zastanowienia odparł chłopiec. – Lubię myśleć.

Niebawem dowiedziała się o tym cała klasa: nowy był jakiś dziwny, nienormalny. Ten błąd nauczył go większego rozsądku. A rozsądek polega między innymi na tym, żeby zawsze mówić raczej mniej niż więcej.

Gra też w prawdziwego krykieta z każdym, kto zechce z nim zagrać. Ale prawdziwy krykiet na pustym placu pośrodku Reunion Park niemiłosiernie się dłuży: pałkarz raz po raz nie trafia w piłkę, która bramkarzowi też co chwila się wymyka albo w ogóle gdzieś gubi. Chłopiec nie cierpi szukać zgubionych piłek. Nienawidzi także grać w polu, na kamienistej ziemi, bo przy każdym upadku rozkrwawia sobie dłonie i kolana. Chce tylko być pałkarzem albo serwować, reszta go nie interesuje.

Przymila się bratu, chociaż ten ma dopiero sześć lat, obiecując, że da mu się pobawić swoimi zabawkami, jeśli mały zgodzi się poserwować na podwórku za domem. Brat przez pewien czas serwuje, ale potem nudzi się, naburmusza i czmycha do domu, w bezpieczne miejsce. Starszy próbuje nauczyć matkę serwowania, ale ona nie umie opanować tej techniki. Syn coraz bardziej się irytuje, a matka trzęsie się ze śmiechu, ubawiona własną niezręcznością. Chłopiec pozwala jej więc po prostu rzucać piłką. W końcu jednak czuje, że bierze udział w kompromitującym widowisku, które każdy przechodzień może zobaczyć z ulicy: do czego to podobne, żeby matka grała z synem w krykieta.

Odcina górną połowę puszki po dżemie, a dolną przybija do sześćdziesięciocentymetrowej listwy, którą potem przymocowuje do osi przechodzącej przez ścianki skrzynki pełnej cegieł. Listwę pociąga do przodu kawałek dętki, a do tyłu – sznur przewleczony przez wbity w skrzynkę haczyk. Chłopiec wkłada piłkę do puszki, cofa się o dziesięć metrów i ciągnie za sznur, póki nie napnie dętki, po czym przygważdża koniec sznura obcasem, staje w pozycji pałkarza i podnosi piętę. Piłka raz leci w niebo, raz uderza go prosto w głowę; ale co pewien czas przelatuje akurat w odpowiedniej odległości i wtedy udaje mu się w nią trafić. To go zadowala: sam sobie zaserwował i trafił w piłkę, cóż za triumf, nic nie jest niewykonalne.

Pewnego dnia w przypływie brawurowej poufałości pyta Greenberga i Goldsteina o ich najwcześniejsze wspomnienia. Greenberg ociąga się z odpowiedzią: nie ma ochoty na tę zabawę. Goldstein opowiada długą i bezbarwną historyjkę o tym, jak go zabrano na plażę, ale chłopiec słucha jednym uchem. Bo oczywiście chodzi mu tylko o to, żeby móc samemu opowiedzieć swoje najwcześniejsze wspomnienie.

Wychyla się z okna mieszkania w Johannesburgu. Zapada zmierzch. Z oddali pędem nadjeżdża samochód. Jakiś pies, mały łaciaty piesek, przebiega przed nim i dostaje się pod koła, które przejeżdżają przez sam środek tułowia. Zwierzę wlecze się dalej, ale ma sparaliżowane tylne łapy i skowyczy z bólu. Widać, że nie przeżyje; lecz chłopca ktoś raptem odciąga od okna.

To wspaniałe najwcześniejsze wspomnienie bije na głowę wszystko, co potrafi wyłuskać z pamięci biedny Goldstein. Ale czy jest prawdziwe? Czemu wychylał się przez okno, wyglądając na pustą ulicę? Naprawdę widział, jak auto potrąca psa, czy po prostu usłyszał psi skowyt i podbiegł do okna? A może tylko zobaczył, że pies wlecze za sobą bezwładny zad, a samochód, kierowcę i całą resztę sam zmyślił?

Ma jeszcze jedno najwcześniejsze wspomnienie, o którego prawdziwości jest bardziej przekonany, ale nigdy w życiu nikomu by go nie zdradził, a już na pewno nie Greenbergowi i Goldsteinowi, bo oni roztrąbiliby je po całej szkole, wystawiając go na pośmiewisko.

Siedzi obok matki w autokarze. Musi chyba być zimno, bo ubrany jest w czerwone wełniane rajtuzy i wełnianą czapkę z pomponem. Silnik rzęzi, gdy wjeżdżają pod górę dzikim, bezludnym wąwozem Swartberg.

W ręku trzyma papierek po cukierku. Wystawia go za okno, ledwie uchylone. Papierek łopocze i drży na wietrze.

– Puścić go? – pyta.

Matka kiwa głową. Chłopiec puszcza.

Strzępek papieru frunie w niebo. W dole jest tylko ponura otchłań wąwozu wśród zimnych szczytów gór. Chłopiec zadziera głowę i udaje mu się po raz ostatni dostrzec papierek, który wciąż jeszcze bohatersko frunie.

– Co się z nim stanie? – pyta; ale matka nie rozumie, o co mu chodzi.

To właśnie jest jego drugie najwcześniejsze wspomnienie, sekretne. Chłopiec bez przerwy myśli o papierku, samotnym wśród przestworzy, który porzucił, kiedy nie powinien był go porzucać. Musi kiedyś wrócić do wąwozu Swartberg, odszukać papierek i wyratować. Spoczywa na nim ten obowiązek, nie ma prawa umrzeć, póki go nie spełni.

Matka gardzi mężczyznami, którzy mają „dwie lewe ręce"; zalicza do tych nieudaczników jego ojca, lecz także własnych braci, a zwłaszcza najstarszego, Rolanda. Roland mógł utrzymać się na farmie, gdyby dostatecznie ciężko pracował, żeby pospłacać długi, ale tego nie zrobił. Spośród licznych stryjów swojego syna (chłopiec ma ich ośmiu przez związki krwi i jeszcze drugie tyle przez powinowactwo) matka najbardziej podziwia Jouberta Oliviera, który zainstalował w Skipperskloof prądnicę, a nawet sam się nauczył zawodu dentysty. (Podczas jednej z wizyt na farmie chłopca zaczyna boleć ząb. Stryj Joubert sadza go na krześle pod drzewem, po czym boruje bez znieczulenia i robi plombę z gutaperki. Chłopiec nigdy w życiu nie cierpiał takich mąk).

Kiedy coś się tłucze czy psuje – talerze, bibeloty, zabawki – matka sama naprawia szkodę: klejem lub za pomocą sznurka. Wszystkie jej naprawy szybko się rozłażą, bo nie zna się na robieniu węzłów, a to, co sklei, zaraz się rozpada; kobieta twierdzi, że to wina kleju.

W kuchennych szufladach pełno jest zgiętych gwoździ, kawałków sznurka, kulek cynfolii, starych znaczków pocztowych.

– Po co to wszystko trzymamy? – pyta chłopiec.

– Na wszelki wypadek – odpowiada matka.

W przypływach gniewu pomstuje na wszelką książkową wiedzę. Twierdzi, że dzieci powinno się posyłać do szkół zawodowych, a potem do roboty. Nauka to czysty nonsens. Najlepiej jest wyuczyć się fachu meblarza albo po prostu stolarki, pracy w drewnie. Farmerstwo straciło dla niej wszelki urok; odkąd farmerzy raptownie się wzbogacili, zbyt wiele jest wśród nich nieróbstwa i ostentacji.

Bo wełna osiąga niebotyczne ceny. Radio podaje, że za kilogram wełny najlepszych gatunków Japończycy płacą dwa funty. Hodowcy owiec kupują nowe samochody i spędzają wakacje nad morzem.

– Musisz nam dać trochę pieniędzy, skoro jesteś taki bogaty – mówi matka do stryja Sona podczas jednej z wizyt w Voëlfontein. Uśmiecha się przy tym, udając, że żartuje, ale w jej słowach nie ma nic śmiesznego. Stryj Son robi zakłopotaną minę i w odpowiedzi mamrocze coś, czego chłopiec nie łapie.

Matka mówi synowi, że farma wcale nie miała w całości przejść na własność stryja Sona: została zapisana wszystkim dwunastu synom i córkom po równi. Aby uchronić ją przed zlicytowaniem, wszyscy zgodzili się odsprzedać swoje udziały stryjowi Sonowi; w wyniku tej transakcji każdy dostał weksel na kilka funtów. A teraz dzięki Japończykom farma warta jest tysiące. Son powinien podzielić się pieniędzmi z rodzeństwem.

Chłopiec wstydzi się, że matka tak bez ogródek wspomina o pieniądzach.

– Powinieneś zostać lekarzem albo adwokatem – słyszy od niej. – Oni dobrze zarabiają.

Ale przy innych okazjach matka twierdzi, że adwokaci to szwindlarze. Chłopiec nie pyta, czy dotyczy to także jego ojca: adwokata, który nie dorobił się majątku.

Lekarze nie interesują się pacjentami – mówi matka. Przepisują im tylko pigułki. Najgorsi są lekarze burskiego pochodzenia, bo w dodatku nic nie umieją.

Wygłasza tyle sprzecznych sądów, że chłopiec nie wie, co ona naprawdę myśli. Obaj synowie spierają się z nią, wytykają niekonsekwencje. Skoro jej zdaniem farmerzy są lepsi od adwokatów, to czemu wyszła za adwokata? Skoro wiedzę książkową uważa za nonsens, czemu została nauczycielką? Im bardziej podważają jej sądy, tym szerzej matka się uśmiecha. Uradowana, że dzieci tak umiejętnie się wysławiają, chętnie ustępuje na każdym kroku, prawie się nie broniąc, bo chce dać im wygrać.

Chłopiec nie cieszy się razem z nią. Te spory wcale go nie śmieszą. Wolałby, żeby w coś wierzyła. Irytują go jej uogólnienia zrodzone z przelotnych nastrojów.

On sam prawdopodobnie zostanie nauczycielem. Tak właśnie będzie żył, kiedy dorośnie. Wygląda na to, że nauczyciele mają nudne życie, ale cóż innego mu pozostaje? Przez długi czas zamierzał zostać maszynistą.

– Kim będziesz, jak dorośniesz? – pytali wujostwo.

– Maszynistą! – oświadczał piskliwym głosikiem, a wtedy wszyscy z uśmiechem kiwali głowami.

Teraz rozumie, że od wszystkich małych chłopców oczekuje się właśnie takiej odpowiedzi, tak jak od dziewczynek wymaga się, żeby pragnęły zostać pielęgniarkami. Dziś już nie jest mały, należy do świata dużych ludzi; będzie musiał pożegnać się z marzeniami o kierowaniu potężnym stalowym rumakiem i obrać jakiś realistyczny zawód. W szkole dobrze sobie radzi, a ponieważ w żadnej innej dziedzinie nie czuje się pewnie, zostanie w szkole, stopniowo awansując. Kiedyś może nawet dojdzie do rangi inspektora. Za żadne skarby nie pójdzie pracować w biurze: nie wyobraża sobie pracy od rana do wieczora, z zaledwie dwutygodniowym urlopem.

Jakim będzie nauczycielem? Wyobraża to sobie dość mgliście. Widzi postać w sportowej marynarce i szarych spodniach z cienkiej wełny (bo tak przecież ubierają się nauczyciele), chodzącą po korytarzu z książkami pod pachą. Ale to tylko przelotna wizja, która wnet się rozwiewa. Chłopiec nie widzi twarzy tej postaci.

Ma nadzieję, że kiedy przyjdzie pora, nie ześlą go do pracy w takiej miejscowości jak Worcester. Lecz może Worcester to czyściec, przez który będzie musiał przejść. Może właśnie do Worcester zsyła się ludzi, żeby poddać ich próbie.

Pewnego dnia zadają im w szkole wypracowanie: „Co robię każdego ranka". Trzeba opowiedzieć, co się robi przed wyjściem do szkoły. Chłopiec wie, czego się od niego oczekuje: że napisze, jak ściele łóżko, zmywa naczynia po śniadaniu, przygotowuje sobie kanapki na drugie śniadanie. Choć w rzeczywistości nie robi żadnej z tych rzeczy, bo we wszystkim wyręcza go matka, kłamie dość umiejętnie, żeby się nie wydało. Ale przeholowuje, opisując, jak czyści sobie buty. Nigdy w życiu sam ich nie czyścił. W wypracowaniu pisze, że najpierw szczotką zdrapuje się brud, a potem pastuje. Panna Oosthuizen stawia na marginesie wielki niebieski znak zapytania przy opisie czyszczenia butów. Chłopiec jest unieszczęśliwiony i modli się, żeby go nie wywołała do tablicy i nie kazała przeczytać na głos wypracowania. Kiedy matka wieczorem czyści mu buty, syn uważnie się przygląda, bo nie chce następnym razem powtórzyć tego samego błędu.

Powierza matce czyszczenie butów, tak jak wszystko, co ona godzi się za niego robić. Nie pozwala jej już tylko wchodzić do łazienki, kiedy jest nagi.

Wie, że jest kłamczuchem, że jest zły, nic jednak nie robi, żeby się zmienić. Nie zmienia się, bo nie chce. To, co go odróżnia od reszty chłopców, może mieć coś wspólnego z jego matką i nienormalną rodziną, ale wiąże się też z kłamstwami. Gdyby przestał kłamać, musiałby sam sobie czyścić buty, uprzejmie się wyrażać i robić wszystko to, co robią normalni chłopcy. Przestałby wtedy być sobą. A gdyby już nie był sobą, po co miałby dalej żyć?

Jest kłamcą i ma serce z lodu; oszukuje cały świat i nie okazuje matce serca. Widzi, jak boli ją to, że on stopniowo się od niej oddala. Ale chłopiec zacina się w sobie i nie odpuszcza. Na swoje usprawiedliwienie ma tylko to, że dla siebie też jest bezlitosny. Owszem, kłamie, sobie jednak mówi prawdę.

– Kiedy umrzesz? – pyta matkę pewnego dnia; prowokuje ją, zdumiony własną śmiałością.

– Nie umrę – odpowiada matka. Mówi to wesołym tonem, ale w jej wesołości słychać nutę fałszu.

– A jak dostaniesz raka?

– Raka dostaje się tylko od uderzenia w pierś. Nie dostanę raka. Będę żyła wiecznie. Nie umrę.

Chłopiec wie, czemu ona tak mówi. Chce w ten sposób uspokoić jego i młodszego brata, żeby się nie martwili. Głupio brzmi ta jej deklaracja, lecz i tak jest wdzięczny.

Nie potrafi sobie wyobrazić, że matka kiedyś umrze. Jest przecież dla niego tym, co w życiu najtrwalsze – opoką. Bez niej byłby niczym.

Matka bardzo uważa, żeby nikt nie uderzył jej w pierś. Najwcześniejsze wspomnienie chłopca, wcześniejsze niż pies, a nawet niż skrawek papieru, dotyczy jej białych piersi. Syn podejrzewa, że widocznie jako niemowlę zadawał im ból, bił w nie piąstkami, bo w przeciwnym razie nie odmawiałaby mu teraz z takim uporem dostępu do nich – ona, która niczego poza tym mu nie odmawia.

Rak to największa groza wisząca nad jej życiem. Z kolei chłopca nauczono zwracać baczną uwagę na bóle w boku, traktować każde ukłucie jako objaw zapalenia wyrostka.

Czy karetka zdąży go zawieźć do szpitala, zanim wyrostek pęknie? I czy uda mu się obudzić z narkozy? Przykra jest myśl, że jakiś nieznajomy lekarz rozetnie mu brzuch. A z drugiej strony fajnie by było mieć potem bliznę i pokazywać ją ludziom. Kiedy w szkole podczas pauzy rozdają fistaszki i rodzynki, zdmuchuje z fistaszków czerwonawe łupinki o konsystencji bibułki, bo one podobno gromadzą się w wyrostku i powodują infekcję.

Pochłania go kolekcjonerstwo. Zbiera znaczki. Zbiera ołowianych żołnierzy. Zbiera karty z wizerunkami australijskich krykiecistów, angielskich piłkarzy, z samochodami z całego świata. Żeby je zdobyć, musi kupować paczkowane papierosy z nugatu i cukru pudru, zakończone różowymi ustnikami. Stale ma pełne kieszenie pogniecionych, lepkich papierosów, które zapomniał zjeść.

Godzinami przesiaduje nad zestawem „mały konstruktor", udowadniając matce, że nie ma dwóch lewych rąk. Buduje wiatrak z układem sprzężonych bloczków, którego skrzydłami można tak szybko obracać, że w pokoju zrywa się lekki wietrzyk.

Biega po podwórku, podrzuca piłkę do krykieta i łapie ją, nie zwalniając biegu. Jaka jest prawdziwa trajektoria piłki: zmierza prosto w górę i prosto w dół, tak jak się to wydaje chłopcu, kiedy na nią patrzy, czy raczej wznosi się i opada, zakreślając łuk, tak jak widziałby ją nieruchomy obserwator? Gdy mówi matce o takich sprawach, widzi w jej oczach rozpacz: matka wie, że chodzi o coś ważnego, i chciałaby zrozumieć, czemu te kwestie tyle dla niego znaczą, ale nie pojmuje. On zaś chciałby, żeby interesowała się nimi dla nich samych, a nie tylko dlatego że jego ciekawią.

Kiedy jest do zrobienia coś praktycznego, czego nie umie zrobić ani on, ani ona (trzeba na przykład naprawić cieknący kran), matka wzywa z ulicy jakiegoś Mulata, pierwszego lepszego mężczyznę, przypadkowego przechodnia. Skąd – z bezsilną złością pyta chłopiec – ta jej wiara w Mulatów? Bo oni przywykli pracować rękami, pada odpowiedź. Tak jakby zdaniem matki właśnie to, że nie chodzili do szkół i nie posiedli żadnej książkowej wiedzy, dawało im znajomość mechanizmów rzeczywistego świata.

To przekonanie wydaje się głupie, zwłaszcza gdy wychodzi na jaw, że ci nieznajomi nie mają pojęcia, jak uszczelnić kran albo naprawić piec. Ale tak bardzo różni się ono od przekonań wszystkich innych ludzi, takie jest ekscentryczne, że chłopiec, chcąc nie chcąc, się nim wzrusza. Z dwojga złego woli już, żeby matka spodziewała się cudów po Mulatach, niż żeby w ogóle niczego od nich nie oczekiwała.

Nieustannie próbuje ją rozgryźć. Matka twierdzi, że Żydzi to wyzyskiwacze; ale najchętniej chadza do lekarzy pochodzenia żydowskiego, bo oni znają się na rzeczy. Mulaci są niby solą ziemi, lecz ona i jej siostry wiecznie plotkują o rzekomych białych ukrywających domieszkę czarnej krwi. Chłopiec nie rozumie, jak matka może hołdować tylu sprzecznym przekonaniom naraz. Ale przynajmniej ma jakieś przekonania. Podobnie jak jej bracia. Wuj Norman wierzy w mnicha Nostradamusa i jego przepowiednię końca świata; wierzy w latające talerze, które lądują w nocy i porywają ludzi. Chłopiec nie wyobraża sobie, żeby ojciec czy ktokolwiek z rodziny ojca mógł nagle zacząć mówić o końcu świata. Jedyne, o co im w życiu chodzi, to unikać wszelkich kontrowersji, nikogo nie urażać, być nieustannie miłym; w porównaniu z rodziną matki są nijacy i nudni.

Jest zbytnio związany z matką, a ona z nim. I właśnie dlatego, chociaż podczas wizyt na farmie poluje i oddaje się tylu innym męskim zajęciom, rodzina ojca nigdy go nie przygarnęła. Babka obeszła się może zbyt surowo z nimi trojgiem, kiedy w roku 1944 nie przyjęła ich pod swój dach, mimo że żyli wtedy z połowy żołdu starszego szeregowca i nie stać ich było na masło ani na herbatę – ale instynkt jej nie zmylił. Rodzina z babką na czele przejrzała tajemnicę domu pod numerem dwunastym przy Poplar Avenue, polegającą na tym, że najstarsze dziecko zajmuje w domu pierwsze miejsce, drugie dziecko jest na miejscu drugim, a mężczyzna, mąż, ojciec – na ostatnim. Albo matce nie dość zależy na ukrywaniu tego układu przed krewnymi, albo ojciec po kryjomu im się skarży. To wypaczenie naturalnego ładu krewni odczuwają jako głęboką zniewagę wobec swojego syna i brata, a więc i wobec siebie. Potępiają i – choć nie posuwają się do niegrzeczności – nie kryją potępienia.

Kiedy matka kłóci się z ojcem i chce zyskać dodatkowy punkt, gorzko uskarża się na to, że jego rodzina okazuje jej chłód. Przeważnie jednak – dla dobra syna, wiedząc, jak ważna dla niego jest farma, i nie mogąc niczym mu jej zastąpić – próbuje przypodobać się krewnym męża za pomocą zabiegów, które w chłopcu budzą niesmak. Tym jej staraniom towarzyszą bynajmniej nieżartobliwe uwagi o pieniądzach. Matka nie ma ani odrobiny dumy. Innymi słowy: dla niego zrobi wszystko.

Chciałby, żeby była normalna. Wtedy on także mógłby być normalny.

Podobnie jest u jej dwóch sióstr. Każda urodziła jedno dziecko, jedynego syna, nad którym czuwa, otaczając go duszną atmosferą nadopiekuńczości. Chłopiec ma w Johannesburgu kuzyna imieniem Juan, najbliższego przyjaciela na świecie: pisują do siebie listy i nie mogą się doczekać wspólnych wakacji nad morzem. Ale z przykrością patrzy, jak Juan potulnie spełnia każde polecenie swojej matki, nawet gdy nie jest pod jej bezpośrednią kuratelą. Ze wszystkich czterech chłopców tylko jego samego matka nie całkiem ma w garści. Wyrwał się spod jej władzy, przynajmniej częściowo: ma kolegów, których sam sobie wybrał, wychodzi pojeździć na rowerze, nie opowiadając się, dokąd się wybiera i kiedy wróci. Jego kuzyni i brat nie mają przyjaciół. Wydają mu się bladzi, nieśmiali i stale przesiadują w domach pod okiem zaborczych matek. Jego ojciec mówi o trzech siostrach-matkach „trzy wiedźmy". „Dwakroć, dwakroć! Trudź i markoć!" – cytuje *Makbeta*. A syn ze złośliwą uciechą przyznaje mu rację.

W chwilach szczególnie gorzkiego rozczarowania życiem w Reunion Park matka z żalem oświadcza, że powinna była wyjść za Boba Breecha. Chłopiec nie bierze tych słów serio. A zarazem nie wierzy własnym uszom. Bo gdyby rzeczywiście wyszła za Boba Breecha, gdzież by on sam teraz był? Kto w ogóle byłby? Czy przyszedłby na świat jako syn Boba Breecha? Czy dziecko Boba Breecha byłoby nim?

Po prawdziwym Bobie Breechu pozostał tylko jeden widoczny ślad. Chłopiec odnajduje go przypadkiem w jednym z albumów matki: nieostre zdjęcie przedstawia dwóch młodych mężczyzn w długich białych spodniach i ciemnych blezerach, którzy stoją na plaży, obejmując się za ramiona i zmrużonymi oczami patrząc w słońce. Jednego z nich chłopiec zna: to ojciec Juana.

– A ten drugi to kto? – pyta matkę od niechcenia.

– Bob Breech – pada odpowiedź.

– A gdzie on teraz jest?

– Nie żyje.

Chłopiec uporczywie wpatruje się w twarz zmarłego Boba Breecha. Nie odnajduje w niej nic z siebie.

Więcej nie pyta. Ale przysłuchując się rozmowom sióstr, dodaje dwa do dwóch i w końcu wyjaśnia się, że Bob Breech przyjechał do Południowej Afryki dla zdrowia, a po roku czy dwóch wrócił do Anglii i tam zmarł. Bezpośrednim powodem śmierci była gruźlica, lecz z oględnych wzmianek wynika, że przyczyniło się również do niej serce, złamane przez młodą, ciemnowłosą, ciemnooką nauczycielkę o czujnym spojrzeniu, którą poznał w Plettenberg Bay i daremnie prosił o rękę.

Chłopiec uwielbia przeglądać albumy. Nawet na najmniej wyraźnych odbitkach zawsze potrafi wypatrzyć wśród grupy matkę: to ta, w której nieśmiałej, ostrożnej urodzie rozpoznaje kobiecą wersję samego siebie. W albumach śledzi jej życie z lat dwudziestych i trzydziestych: najpierw fotografie całej drużyny (hokej, tenis), a potem zdjęcia z podróży po Europie: Szkocja, Norwegia, Szwajcaria, Niemcy; Edynburg, fiordy, Alpy, Bingen nad Renem. Wśród jej pamiątek jest automatyczny ołówek z Bingen, który ma z boku maleńkie okienko z widokiem zamku na szczycie urwiska.

Czasem przeglądają albumy we dwoje. Matka wzdycha i mówi, że chciałaby jeszcze raz zobaczyć Szkocję, wrzosowiska, kampanule. Miała jakieś życie, zanim się urodziłem, myśli chłopiec. Cieszy się w jej imieniu, bo teraz matka w ogóle nie ma już życia.

Jej Europa zdecydowanie różni się od Europy z albumu ojca, w którym mężczyźni z Południowej Afryki pozują w piaskowych mundurach na tle egipskich piramid lub ruin włoskich miast. Lecz gdy chłopiec ogląda ten album, mniej czasu poświęca zdjęciom niż wklejonym między nie ulotkom, które Niemcy zrzucali z samolotów na pozycje aliantów. Jedna podsuwa żołnierzom sposób na wywołanie gorączki (trzeba najeść się mydła); inna przedstawia uroczą kobietę siedzącą na kolanach tłustego Żyda z haczykowatym nosem i pijącą szampana. „Wiesz, gdzie bawi dziś wieczór twoja żona?" – pyta podpis. Jest też niebieski porcelanowy orzeł, którego ojciec znalazł w ruinach pewnego domu w Neapolu i przywiózł w żołnierskim worku; ten cesarski ptak, godło imperium, stoi teraz na biurku w salonie.

Chłopiec jest niezmiernie dumny, że ojciec walczył na wojnie. Ze zdumieniem i satysfakcją stwierdza, jak niewielu ojców jego kolegów brało w niej udział. Nie bardzo rozumie, czemu ojciec dosłużył się tylko stopnia starszego szeregowca; opowiadając kolegom o jego przygodach, dyskretnie przemilcza tę skromną rangę. Ale uwielbia zdjęcie zrobione w jakiejś pracowni fotograficznej w Kairze, na którym przystojny ojciec mierzy z karabinu, przymknąwszy jedno oko: włosy ma starannie przyczesane, beret regulaminowo zatknięty pod naramiennik. Gdyby to zależało od chłopca, ta fotografia też stałaby na gzymsie nad kominkiem.

Rodzice mają rozbieżne zdania o Niemcach. Ojciec darzy sympatią Włochów (nie mieli serca do tej wojny, twierdzi; chcieli się tylko poddać i rozejść z powrotem do domów), ale Niemców nienawidzi. Opowiada o pewnym Niemcu, którego zastrzelono, kiedy siedział w wychodku. W niektórych wariantach tej historii sam zabija Niemca, w innych zabójcą bywa ktoś z kolegów; lecz ojciec wszystkie te wersje przytacza bez odrobiny litości, tylko z rozbawieniem mówi, jak Niemiec był zbity z tropu, kiedy usiłował równocześnie podnieść ręce do góry i podciągnąć spodnie.

Matka wie, że zbyt jawne wychwalanie Niemców to niedobry pomysł, lecz gdy ojciec i starszy syn solidarnie występują przeciwko niej, porzuca wszelką powściągliwość.

– Niemcy to najlepszy naród na świecie – mówi. – To ten okropny Hitler ściągnął na nich tyle cierpienia.

Jej brat Norman jest innego zdania.

– Hitler pokazał Niemcom, że mogą być z siebie dumni – twierdzi.

W latach trzydziestych matka i Norman razem podróżowali po Europie: zwiedzili nie tylko Norwegię i szkockie wyżyny, lecz także hitlerowskie podówczas Niemcy. Rodzina matki – Brecherowie i du Bielowie – pochodzi właśnie z Niemiec, a przynajmniej z Pomorza, które należy teraz do Polski. Czy dobrze jest pochodzić z Pomorza? Chłopiec nie ma co do tego pewności. Ale wie chociaż, skąd pochodzi.

– Niemcy nie chcieli walczyć z Południowoafrykańczykami – stwierdza Norman. – Lubią nas. Gdyby nie Smuts, nigdy nie poszlibyśmy na wojnę z Niemcami. Smuts to był *skelm*, krętacz. Sprzedał nas Anglikom.

Ojciec i Norman się nie lubią. Kiedy ojciec chce dogryźć matce podczas sporów, które późnym wieczorem toczą w kuchni, naigrawa się z jej brata, ten bowiem nie wstąpił do wojska, tylko do Ossewabrandwagu.

– Kłamiesz! – gniewnie odpowiada matka. – Norman nie był w Ossewabrandwagu. Spytaj go, sam ci powie.

Kiedy chłopiec pyta, co to takiego Ossewabrandwag, matka mówi, że to było zwykłe głupstwo: ludzie maszerowali po ulicach z pochodniami w rękach – i tyle.

Norman ma palce prawej dłoni żółte od nikotyny. Mieszka w hotelowym pokoju w Pretorii, i to już od wielu lat. Zarabia na życie, sprzedając broszurę o dżiu-dżitsu, którą sam napisał; reklamuje ją na stronach z ogłoszeniami w „Pretoria News": „Naucz się japońskiej sztuki samoobrony – zachęca. – Sześć łatwych lekcji". Ludzie przysyłają pocztą zamówienia, załączając dziesięć szylingów, a on im wysyła ulotkę: złożoną we czworo kartkę ze szkicami rozmaitych chwytów. Kiedy na dżiu-dżitsu nie daje się wystarczająco dużo zarobić, Norman sprzedaje działki na zlecenie agencji handlu nieruchomościami. Codziennie do południa wyleguje się w łóżku, pijąc herbatę, paląc papierosy i czytając takie pisma jak „Argosy" i „Lilliput". Po południu grywa w tenisa. W roku 1938, czyli przed dwunastoma laty, był mistrzem Prowincji Przylądkowej Zachodniej w grze pojedynczej. Wciąż jeszcze ma ambicję, żeby zagrać debla na kortach Wimbledonu, jeśli tylko znajdzie partnera.

Pod koniec wizyty, tuż przed wyjazdem do Pretorii, bierze chłopca na bok i wsuwa mu do kieszeni koszuli brązowy dziesięcioszylingowy banknot.

– Masz na lody – mamrocze: rok w rok powtarza te same słowa. Chłopiec lubi Normana nie tylko za te datki (chociaż dziesięć szylingów to kupa forsy), ale także za pamięć: za to, że wuj nigdy o nim nie zapomina.

W ojcu większą sympatię budzi drugi szwagier, Lance, nauczyciel z Kingwilliamstown, który walczył na wojnie. Jest jeszcze trzeci brat, najstarszy – ten, co stracił farmę – ale tylko matka czasem o nim wspomina.

– Biedny Roland – wzdycha, kiwając głową.

Roland ożenił się z kobietą, która przedstawia się jako Rosa Rakosta, córka polskiego księcia na wygnaniu, lecz według Normana naprawdę nazywa się Sophie Pretorius. Norman i Lance nie cierpią Rolanda z powodu tego, co się stało z farmą, i gardzą nim, bo dał się wziąć Sophie pod pantofel. Roland i Sophie prowadzą w Kapsztadzie tani hotel. Chłopiec pojechał tam raz z matką. Okazało się, że Sophie, tłusta blondyna, chodzi w atłasowym szlafroku o czwartej po południu i pali papierosy w cygarniczce. Roland jest cichy, ma smutną minę i nos jak kartofel, czerwony od naświetlań, dzięki którym wyleczył się z raka.

Chłopiec lubi, kiedy ojciec, matka i Norman dyskutują o polityce. Podoba mu się żar i pasja tych rozmów; chętnie słucha, jak padają brawurowe stwierdzenia. Ze zdumieniem stwierdza, że właśnie ojcu, któremu najmniej życzy zwycięstwa w debacie, przyznaje rację: sam też uważa, że Anglicy byli dobrzy, a Niemcy źli, że Smuts był dobry, a nacjonaliści są okropni.

Ojciec lubi Partię Jedności, lubi też krykieta i rugby, lecz syn i tak nie lubi ojca. Nie rozumie tej sprzeczności, ale nie zależy mu na tym, żeby ją zrozumieć. Jeszcze zanim go poznał – czyli zanim ojciec wrócił z wojny – postanowił, że go nie polubi. Ta niechęć jest więc poniekąd abstrakcyjna: chłopiec po prostu nie chce mieć ojca, w każdym razie nie chce z nim mieszkać w jednym domu.

Najbardziej nie cierpi w ojcu jego osobistych nawyków. Tak strasznie ich nienawidzi, że na samą myśl o nich wzdryga się z obrzydzenia: brzydzi go głośne wydmuchiwanie nosa w łazience, parny zapach mydła Lifebuoy, który ojciec po sobie tam pozostawia wraz z obwódką brudu i włosów po goleniu w umywalce. Największy wstręt budzą w nim różne zapachy ojca. Ale nic na to nie poradzi, że lubi jego szykowny sposób ubierania się, rdzawoczerwoną apaszkę, którą ojciec wkłada w sobotnie poranki zamiast krawata, smukłą sylwetkę, żwawy chód, brylantynę na włosach. Sam także używa brylantyny, układając włosy w czub.

Nie lubi chodzić do fryzjera, i to tak bardzo, że z opłakanym skutkiem próbuje strzyc się sam. Fryzjerzy z Worcester najwidoczniej umówili się, że chłopcy mają być krótko ostrzyżeni. Zabieg rozpoczynają najbrutalniej, jak potrafią, goląc elektryczną maszynką włosy na potylicy i skroniach, a potem z bezlitosnym szczękiem nożyczek koszą, aż zostaje tylko króciutka szczecina, co najwyżej z grzywką na otarcie łez. Zanim jeszcze strzyżenie dobiegnie końca, chłopiec skręca się ze wstydu; płaci szylinga i czym prędzej wraca do domu, myśląc ze zgrozą, że nazajutrz będzie musiał pójść do szkoły i znosić rytualne drwiny, jakie witają każdego świeżo ostrzyżonego. Są strzyżenia normalne i są bolesne postrzyżyny z Worcester, popełniane przez mściwych fryzjerów; chłopiec nie wie, dokąd trzeba by się udać, co zrobić albo powiedzieć, ile zapłacić, żeby zostać ostrzyżonym normalnie.

Rozdział szósty

W każde sobotnie popołudnie chadza wprawdzie do bioskopu, ale filmy nie mają już nad nim takiej władzy jak niegdyś w Kapsztadzie, kiedy śniły mu się po nocach koszmary, w których miażdżyły go spadające windy albo sam spadał z urwisk niczym bohaterowie seriali. Nie rozumie, czemu Errol Flynn uchodzi za wielkiego aktora, skoro zawsze wygląda tak samo, niezależnie od tego, czy gra akurat Robin Hooda czy Ali Babę. Ma już dość konnych pościgów, bo wszystkie są identyczne. Popisy tria komików The Three Stooges od pewnego czasu wydają się głupie. A w Tarzana trudno wierzyć, skoro co chwila gra go inny aktor. Jedyny film, jaki robi na nim wrażenie, to ten, w którym Ingrid Bergman wsiada do wagonu z chorymi na ospę i umiera. Ingrid Bergman to ulubiona aktorka matki. Czy w życiu też tak jest: czy matka może w każdej chwili umrzeć tylko dlatego, że nie przeczyta wywieszki w oknie?

Pozostaje radio. Wyrósł już z „Kącika dla dzieci", ale wciąż jest wierny słuchowiskom w odcinkach: codziennie o piątej leci Superman („Wzwyż! Wzwyż i w lot!"), a o piątej trzydzieści Czarodziej Mandragora. Jego ulubiona historia to „Gęś śnieżyca" Paula Gallico, którą stacja A Service wciąż powtarza na życzenie słuchaczy. Jest to opowieść o dzikiej gęsi prowadzącej okręty z plaż Dunkierki z powrotem do Dover. Chłopiec słucha jej ze łzami w oczach. Chciałby kiedyś dorównać wiernością gęsi śnieżycy.

W radiu idzie też adaptacja *Wyspy skarbów*, nadawana raz na tydzień w półgodzinnych odcinkach. Chłopiec ma tę książkę, ale przeczytał ją, kiedy był jeszcze za mały i nie rozumiał, o co właściwie chodzi w tej całej aferze ze ślepcem i czarną plamą, nie umiał rozstrzygnąć, czy John Silver jest dobry czy zły. A teraz po każdym odcinku słuchowiska śnią mu się koszmary z Długim Johnem w roli głównej: śni mu się szczudło, którym jednonogi zabija ludzi, i fałszywa, sentymentalna troska pirata o Jima Hawkinsa. Chciałby, żeby pan Trelawney zabił Długiego Johna, zamiast puścić go wolno: jest pewien, że złoczyńca kiedyś powróci ze swoimi okrutnymi buntownikami, tak jak powraca w jego snach.

Szwajcarscy Robinsonowie to dużo bardziej kojąca historia. Chłopiec ma tę książkę w ładnym, barwnie ilustrowanym wydaniu. Najbardziej lubi obrazek ze statkiem stojącym na rusztowaniu pod drzewami; statek ten rodzina zbudowała za pomocą narzędzi wydobytych z wraku, bo chciała wrócić do kraju, zabierając ze sobą wszystkie swoje zwierzęta, jak Noe arką. Miło jest opuścić Wyspę Skarbów i z przyjemnością podobną tej, którą odczuwa się, zanurzając się w ciepłej kąpieli, wejść w świat Szwajcarskich Robinsonów. Nie ma w nim złych braci ani krwiożerczych piratów; wszyscy członkowie rodziny radośnie współpracują pod kierunkiem mądrego, silnego ojca (na obrazkach ma on potężny tors i długą kasztanową brodę), który od pierwszej chwili wie, co trzeba zrobić, żeby ich uratować. Chłopiec nie rozumie tylko, czemu w ogóle muszą porzucić wyspę, skoro zaznają na niej takich wygód i szczęścia.

Ma też *Scotta z Antarktydy*. Kapitan Scott bezsprzecznie jest jednym z jego idoli; właśnie dlatego podarowano mu tę książkę. Są w niej fotografie, między innymi zdjęcie kapitana siedzącego i piszącego w namiocie, w którym później zamarzł na śmierć. Chłopiec często ogląda te zdjęcia, ale w lekturze niedaleko zaszedł: książka jest nudna, nie ma w sobie nic z fantazyjnej opowieści. Podoba mu się tylko fragment o tym, jak Titus Oates, który nabawił się odmrożeń, nie chciał być ciężarem dla towarzyszy, więc odszedł w noc, w śniegi i lody, aby wśród nich zginąć – po cichu, nie robiąc wokół siebie zamieszania. Ma nadzieję zachować się kiedyś podobnie jak Titus Oates.

Raz w roku przyjeżdża do Worcester cyrk Boswella. Wszyscy koledzy z klasy wybierają się na przedstawienie; przez tydzień mówi się wyłącznie o nim. Nawet dzieci Mulatów w pewnym sensie idą do cyrku: godzinami kręcą się wokół namiotu, słuchając orkiestry i zerkając przez szpary.

Postanawiają wybrać się tam w sobotę po południu, kiedy ojciec będzie grał w krykieta. Matka organizuje to wyjście jako wspólną z synami wycieczkę. Ale przy kasie szokuje ją informacja, ile kosztuje bilet na sobotnie popołudnie: dwa szylingi i sześć pensów za dziecko, pięć szylingów za dorosłego. Nie ma przy sobie tyle pieniędzy. Kupuje więc bilety jemu i jego bratu.

– Wy idźcie, a ja zaczekam – mówi.

Chłopiec nie chce, ale ona nalega.

W namiocie jest nieszczęśliwy, nic go nie cieszy: podejrzewa, że brat czuje się tak samo. Kiedy po przedstawieniu wychodzą, matka wciąż na nich czeka. Chłopiec przez wiele dni nie może opędzić się od myśli, że cierpliwie czekała w grudniowym skwarze, a on przez ten czas siedział w cyrkowym namiocie i dawał się zabawiać jak król. Jej oślepiające, obezwładniające, pełne samozaparcia uczucie do niego i brata, ale zwłaszcza do niego, burzy mu spokój. Wolałby, żeby nie kochała go aż tak. A ona kocha go w sposób absolutny, zatem i on musi kochać ją miłością absolutną: taką właśnie logikę narzuca mu matka. Nigdy nie zdoła odwdzięczyć jej się za miłość, która go zalewa. Ledwie pomyśli o brzemieniu uczuciowego długu, pod którym będzie musiał się uginać do końca życia, wpada w takie zdumienie i wściekłość, że nie chce jej nawet pocałować i nie pozwala się dotknąć. Kiedy matka odwraca się bez słowa, wyraźnie zraniona, chłopiec rozmyślnie zatwardza przeciwko niej serce, nie mając zamiaru ulec.

W chwilach rozgoryczenia matka wygłasza czasem sama do siebie długie przemowy, porównując swoje życie w bezlistnym osiedlu domków z tym sprzed zamążpójścia; to dawne przedstawia jako nieustanny korowód przyjęć i piknikrów, weekendowych wizyt na farmach, tenisa, golfa i spacerów z psami. Mówi cichym półszeptem, ponad który wybijają się tylko spółgłoski syczące: synowie wytężają słuch, siedząc każdy w swoim pokoju, a ona z pewnością o tym wie. Ojciec również i dlatego nazywa ją czarownicą, że matka gada do siebie, wyczynia jakieś czary.

Wizję idylli w Victoria West dokumentują fotografie z albumu: widać na nich, jak matka wśród innych kobiet w długich białych sukniach i z rakietami tenisowymi stoi w miejscu, które sprawia wrażenie szczerego pustkowia, obejmując za szyję psa, owczarka alzackiego.

– To był twój pies? – pyta chłopiec.

– To Kim. Najlepszy, najwierniejszy pies, jakiego w życiu miałam.

– Co się z nim stało?

– Zjadł zatrute mięso, które farmerzy wyłożyli dla szakali. Umarł mi na rękach.

56

Mówi to ze łzami w oczach.

Kiedy w albumie pojawia się ojciec, psy znikają. Odtąd chłopiec ogląda zdjęcia obojga rodziców, robione na piknikach w gronie znajomych z tamtych czasów, albo samego ojca, który z szykownym wąsikiem i zawadiackim spojrzeniem pozuje oparty o maskę staroświeckiego czarnego auta. Potem zaczyna się długa seria jego własnych fotografii, a na pierwszej pulchne niemowlę o twarzy bez wyrazu podnosi do obiektywu ciemnowłosa, najwidoczniej temperamentna kobieta.

Na wszystkich zdjęciach, nawet tych z niemowlęciem, wydaje mu się dziewczęca. Jej wiek stanowi zagadkę, która ani na chwilę nie przestaje go intrygować. Matka nie chce powiedzieć, ile ma lat, ojciec udaje, że nie wie, i nawet jej rodzeństwo zachowuje się, jakby przysięgło dochować sekretu. Pod nieobecność matki chłopiec przegląda papiery z dolnej szuflady jej komódki, daremnie szukając metryki. Z pewnej wzmianki, która matce niechcący się wymknęła, wynika, że jest ona starsza od ojca, który urodził się w roku 1912; ale o ile starsza? W końcu syn dochodzi do wniosku, że urodziła się w 1910. Czyli w chwili jego własnych narodzin miała trzydzieści lat, a teraz ma czterdzieści.

– Masz czterdzieści lat! – triumfalnie oświadcza pewnego dnia, starając się wyczytać z jej twarzy, czy trafił. Matka tajemniczo się uśmiecha.

– Skończyłam dwadzieścia osiem – mówi.

Obchodzą urodziny tego samego dnia. Urodziła go sobie w dniu własnych urodzin. Zgodnie z tym, co powtarza jemu i wszystkim dookoła, znaczy to, że jest on darem od Boga.

Chłopiec nie mówi jej „mamo" ani „mamusiu", lecz „Dinny", podobnie jak ojciec i młodszy brat. Skąd to imię?

Nikt chyba nie wie; ale dla swojego rodzeństwa matka jest Verą, czyli przydomek „Dinny" nie może pochodzić z ich wspólnego dzieciństwa. Syn musi uważać, żeby nie zwrócić się do matki w ten sposób przy obcych ludziach, tak jak pilnuje się, żeby wujowi i ciotce nie mówić po imieniu, zamiast „wujku Normanie" i „ciociu Ellen". Lecz mówienie „wujku" i „ciociu", jak przystało grzecznemu, posłusznemu, normalnemu dziecku, jest niczym w porównaniu z peryfrazami, do których uciekają się Afrykanerzy. Oni nie śmią zwrócić się *per* „ty" do nikogo starszego. Chłopiec przedrzeźnia sposób mówienia ojca: „*Mammie moet 'n kombers oor Mammie se knieë trek anders word Mammie koud*" – „Mamusia musi przykryć Mamusi kolana kocem, bo inaczej Mamusia zmarznie". Dziękuje losowi, że nie jest Afrykanerem i nie musi gadać jak chłostany niewolnik.

Matka stwierdza, że chce mieć psa. Najlepsze są owczarki alzackie – najbardziej inteligentne i najwierniejsze – lecz nie udaje się znaleźć szczeniaka tej rasy, który byłby na sprzedaż. Wybierają więc półkrwi dobermana, potomka nie wiadomo jakich mieszańców. Chłopiec upiera się, że sam nada mu imię. Najchętniej nazwałby go Borzoj, bo chciałby mieć rosyjskiego psa, ale ponieważ nie jest to jednak rosyjski pies, nazywa go Kozak. Nikt nie rozumie tego wyboru. Ludzie myślą, że pies wabi się *kos-sak*, torba na jedzenie, i śmieją się.

Kozak wyrasta na niesfornego psa, ma kiełbie we łbie i włóczy się po okolicy, depcząc ogrody i goniąc kury. Pewnego dnia biegnie za chłopcem przez całą drogę do szkoły, w żaden sposób nie dając się przepłoszyć: kiedy chłopiec krzyczy i rzuca kamieniami, pies kładzie uszy po sobie, podwija ogon i chyłkiem czmycha; lecz gdy tylko jego pan wsiada z powrotem na rower, Kozak znów rusza za nim galopem. W końcu chłopiec musi zawlec go do domu, trzymając za obrożę, a drugą ręką prowadząc rower. Jest wściekły i odmawia pójścia do szkoły, bo już i tak się spóźnił.

Kozak nie jest jeszcze całkiem dorosły, kiedy zjada mielone szkło, które ktoś specjalnie dla niego wyłożył. Matka robi mu lewatywy, żeby wypłukać okruchy szkła, ale nic to nie daje. Gdy po trzech dniach pies już tylko leży bez ruchu i dyszy, nie chcąc nawet polizać jej ręki, kobieta wysyła syna do apteki po nowe lekarstwo, które jej doradzono. Chłopiec rusza pędem i z takim samym pośpiechem wraca, lecz zjawia się za późno. Matka ma ściągniętą, obcą twarz i nie chce nawet wziąć od niego flakonu.

Chłopiec pomaga jej pochować Kozaka zawiniętego w koc. Kładą go w dole wykopanym w glinie w niższej części ogrodu. Nad grobem syn stawia krzyż z wymalowanym imieniem „Kozak". Nie chce już więcej mieć psów, skoro muszą one tak umierać.

Ojciec gra w krykieta w reprezentacji Worcester. Powinien to być kolejny tytuł do chwały, a dla syna – jeszcze jeden powód do dumy. Ojciec jest przecież adwokatem, czyli kimś niewiele gorszym niż lekarz; walczył na wojnie; grywał dawniej w rugby w kapsztadzkiej lidze; a teraz gra w krykieta. Z każdym spośród tych osiągnięć wiąże się jednak jakaś żenująca okoliczność. Owszem, jest adwokatem, ale zaniechał praktyki. Walczył na wojnie, lecz dosłużył się zaledwie rangi starszego szeregowca. Grał w rugby, ale tylko w rezerwowym składzie Gardens, a nawet podstawowy skład tej drużyny jest śmiechu wart, bo zawsze ląduje na samym dole ligowej tabeli. Chociaż obecnie gra w krykieta, występuje w drugiej drużynie Worcester, której meczów nikomu nie chce się oglądać.

Ojciec nie jest pałkarzem, tylko serwuje. Nie umie we właściwy sposób wziąć zamachu, więc nie radzi sobie z grą na pozycji pałkarza; w dodatku przy szybkich serwach odwraca wzrok od piłki. Wedle jego wyobrażeń pałkarz ma jedynie wysunąć kij do przodu, a jeśli piłka zsunie się z kija, flegmatycznym kłusem zaliczyć singla.

Ojciec nie może być pałkarzem oczywiście dlatego, że wychował się na równinie Karoo, gdzie nikt nie grał w krykieta na przyzwoitym poziomie, nie było zatem jak się nauczyć. Co innego serwowanie: do tego trzeba mieć dar; serwującym graczem jest się od urodzenia, a nie dzięki treningowi.

Ojciec wystawia powolne piłki, lecące z tej strony boiska, na której stoi pałkarz, na przeciwną, a po odbiciu od ziemi wracające na stronę pałkarza. Czasem bywa o sześć punktów do tyłu; kiedy indziej na widok wolno nadlatującej piłki pałkarz traci głowę, bierze szalony zamach i piłka strąca poprzeczkę. Na tym chyba opiera się metoda ojca: na cierpliwości i sprycie.

Trenerem drużyn z Worcester jest Johnny Wardle, który co roku wyjeżdża, kiedy na północy robi się lato, i gra w krykieta jako reprezentant Anglii. Wielki to zaszczyt dla Worcester, że zgodził się tam przyjechać. Podobno stało się to dzięki zabiegom Wolfa Hellera. A także jego pieniądzom.

Chłopiec stoi z ojcem za siatką ogradzającą boisko treningowe i patrzy, jak Johnny Wardle serwuje pałkarzom z pierwszego składu. Anglik, nijaki człowieczek o rzadkich płowych włosach, znany jest niby z powolnych serwów, lecz gdy z rozbiegu rzuca piłkę, aż dziw bierze, jak szybko mknie ona w powietrzu. Stojący przy bazie pałkarz odbija ją dość łatwo i piłka miękko wpada w siatkę. Ktoś inny serwuje, a po nim znowu Wardle. I raz jeszcze pałkarz delikatnym muśnięciem odbija piłkę. Wprawdzie nie zdobywa punktów, ale serwującemu też się to nie udaje.

U schyłku popołudnia chłopiec wraca do domu zawiedziony. Spodziewał się bardziej przepastnej różnicy umiejętności między angielskim serwującym a pałkarzami z Worcester. Miał nadzieję zobaczyć pokaz bardziej tajemniczej sztuki, ujrzeć, jak piłka wyczynia w powietrzu dziwne cuda i w niezwykły sposób odbija się od ziemi, szybuje, opada i wiruje, bo w książkach o krykiecie, jakie zdarza mu się czytać, tak właśnie opisuje się powolne serwy w wykonaniu wybitnych graczy. Nie spodziewał się widoku gadatliwego człeczyny wyróżniającego się jedynie tym, że jego podkręcone piłki lecą równie szybko jak te, które rzuca sam chłopiec, kiedy się szczególnie spręży.

Od krykieta oczekuje czegoś więcej niż to, co ma do pokazania Johnny Wardle. Krykiet musi mieć w sobie coś z Horacjusza i Etrusków, Hektora i Achillesa. Hektor i Achilles to nie są po prostu dwaj zwykli rębajłowie, bo w takim razie nie byłoby czego opowiadać. Nie są więc zwykłymi rębajłami, tylko potężnymi herosami, a ich imiona dźwięczą w legendach. Chłopiec cieszy się, kiedy z końcem sezonu Wardle traci miejsce w reprezentacji Anglii.

Wardle serwuje oczywiście skórzaną piłką. Chłopiec nie jest z taką obyty; on i jego koledzy grają tak zwaną korkówką: ugnieciona z jakiegoś twardego szarego materiału, bez żadnej szkody odbija się od kamieni, które ze skórzanej wyprułyby szwy. Stojąc za siatką i obserwując Wardle'a, pierwszy raz w życiu słyszy dziwny poświst skórzanej piłki mknącej w powietrzu ku pałkarzowi.

Nadarza się pierwsza sposobność gry na prawdziwym boisku do krykieta. W środę po południu ma być mecz dwóch drużyn z młodszych klas. Prawdziwe boisko to także prawdziwe bramki i takaż nawierzchnia, a poza tym nie trzeba się tam z nikim bić o miejsce w kolejce do kija.

I oto nadchodzi jego kolej, żeby wziąć kij do ręki. Z ochraniaczem na lewej nodze, z ojcowskim, o wiele za ciężkim kijem wychodzi na środek boiska, zdumiony jego ogromem. Wokół siebie ma rozległą, bezludną przestrzeń, a widzowie siedzą tak daleko, że równie dobrze mogłoby ich wcale nie być.

Staje na skrawku zwalcowanej ziemi, nakrytym zieloną matą z włókna kokosowego, i czeka, aż nadleci piłka. To właśnie jest krykiet. Mówi się, że to sport, zabawa, lecz chłopcu wydaje się ona rzeczywistsza niż dom, a choćby i szkoła. W tym sporcie nie ma udawania, litości, drugich podejść. Wszyscy pozostali chłopcy, których nawet nie zna z imienia, są przeciwko niemu. Wszystkim chodzi tylko o to, żeby jak najprędzej pozbawić go przyjemności. Nie będą mieli ani krzty wyrzutów sumienia, kiedy wypadnie z gry. Pośrodku tej olbrzymiej areny czeka go próba: jest sam jeden przeciwko całej jedenastce i nikt go nie chroni.

Gracze wychodzą w pole. Powinien się teraz skupić, ale dręczy go natrętna myśl: paradoks Zenona. Zanim strzała doleci do celu, musi najpierw przebyć połowę drogi; zanim dotrze do połowy drogi, musi przebyć jedną czwartą; zanim przeleci jedną czwartą... Rozpaczliwie usiłuje przerwać gonitwę myśli, ale już samo to, że stara się nie myśleć, jeszcze bardziej go podkręca.

Wybiega serwujący. Chłopiec szczególnie wyraźnie słyszy głuchy łoskot jego dwóch ostatnich kroków. Na chwilę zapada cisza, zmącona tylko niesamowitym poszumem piłki, która nadlatuje łukiem, koziołkując w powietrzu. Czy właśnie to wybrał, kiedy postanowił grać w krykieta? Czy chce raz za razem, póki nie popełni błędu, wystawiać się na próbę, której poddaje go piłka, godząca w niego bezosobowo, obojętnie, bezlitośnie, szukająca szczeliny w jego obronie, szybsza, niż się spodziewał – zbyt szybka, żeby zdążył uciszyć zamęt we własnej głowie, zebrać myśli, spokojnie zdecydować, co należy zrobić? I oto pośród tych rozmyślań, całego tego chaosu, nadlatuje piłka.

Udaje mu się zaliczyć dwa biegi, chociaż podczas uderzania kijem jest rozkojarzony, a później posępnieje. Po tym meczu jeszcze mniej rozumie, jak Johnny Wardle może grać tak niefrasobliwie, przez cały czas pogadując i żartując. Czy tacy są wszyscy sławni angielscy gracze: Len Hutton, Alec Bedser, Denis Compton, Cyril Washbrook? Chłopcu wydaje się to niewiarygodne. Uważa, że w prawdziwego krykieta można grać wyłącznie w milczeniu, w milczeniu i z obawą, z łomoczącym sercem i z suchością w ustach.

Krykiet to nie sport, lecz prawda o życiu. A jeśli jest również, jak piszą w książkach, próbą charakteru, to chłopiec nie widzi sposobu, żeby przejść ją pomyślnie, a zarazem nie wie, jak jej uniknąć. Kiedy stoi przy bramce, sekret, którego w każdych innych okolicznościach udaje mu się strzec, zostaje bezlitośnie przeniknięty i ujawniony. Zobaczymy, z jakiej jesteś ulepiony gliny, oświadcza piłka, ze świstem koziołkując w powietrzu, coraz bliżej. A on, zupełnie skołowany, na oślep wystawia kij, za wcześnie albo za późno. Piłka przelatuje, niepowstrzymana przez kij ani przez ochraniacze. Chłopiec wypada z gry, nie przeszedł próby, zdemaskowano go, może tylko przełknąć łzy, zasłonić zapłakaną twarz i zwlec się z boiska odprowadzany współczującymi, uprzejmie wyuczonymi brawami reszty uczniów.

Rozdział siódmy

Na jego rowerze widnieje znak firmowy angielskiej fabryki broni strzeleckiej: dwa skrzyżowane karabiny i napis „Smiths-BSA". Kupił ten używany rower za pięć funtów, które dostał na ósme urodziny. To najsolidniejsza rzecz w jego życiu. Kiedy inni chłopcy chwalą się swoimi raleighami, mówi, że ma smithsa.

– Smithsa? Nigdy nie słyszałem o żadnym smithsie – odpowiadają.

Nic nie może się równać uniesieniu, jakiego doznaje podczas jazdy na rowerze, przechylając się na wirażach. Codziennie jeździ na swoim smithsie do szkoły, niecały kilometr z Reunion Park do przejazdu kolejowego, a potem jeszcze półtora cichą drogą wzdłuż torów. Najlepsze są letnie poranki. W przydrożnych rowach szemrze woda, w koronach eukaliptusów gruchają gołębie; co pewien czas przejeżdża przez wir ciepłego powietrza zwiastującego wiatr, który zerwie się w ciągu dnia i pogna przed sobą czerwone kłęby drobnego gliniastego pyłu.

Zimą musi wyruszać do szkoły, zanim na dworze się rozwidni. Lampa rzuca przed rower krąg światła, a on jedzie we mgle, przecinając jej aksamitną miękkość, wdychając ją i wydychając, słysząc tylko cichy szelest opon.

W niektóre poranki rączki kierownicy bywają tak zimne, że do metalu przyklejają się gołe dłonie.

Stara się przyjeżdżać do szkoły jak najwcześniej. Lubi mieć całą klasę dla siebie, przechadzać się wśród pustych ławek i ukradkiem wchodzić na katedrę. Ale nigdy nie udaje mu się dotrzeć przed wszystkimi; uprzedzają go dwaj bracia z De Doorns, których ojciec pracuje na kolei, więc przyjeżdżają pociągiem o szóstej. Są tacy ubodzy, że nie mają bluz, swetrów ani butów. Prócz nich jest wielu równie biednych chłopców, zwłaszcza w klasach afrykanerskich. Nawet w lodowate zimowe poranki przychodzą do szkoły w cienkich bawełnianych koszulach i krótkich spodenkach z serży, z których tak już wyrośli, że ich szczupłe uda ledwo się mieszczą w nogawkach. Opalone nogi dostają z zimna kredowobiałych plam; chłopcy chuchają w dłonie i przytupują; są wiecznie usmarkani.

Pewnego razu wybucha epidemia grzybicy i bracia z De Doorns przychodzą z ogolonymi głowami. Na łysych czaszkach wyraźnie widać zygzaki po grzybie; matka każe mu omijać ich z daleka.

Jej syn woli obcisłe spodenki niż szerokie. Matka zawsze kupuje mu za luźne ubrania. A on lubi patrzeć na smukłe, gładkie, brązowe nogi w obcisłych spodenkach. Najbardziej urzeka go miodowa opalenizna na nogach chłopców o włosach blond. Najpiękniejsi chłopcy chodzą, o dziwo, do klas afrykanerskich, podobnie zresztą jak najbrzydsi, ci z włochatymi nogami i sterczącymi grdykami, pryszczaci na twarzach. Spostrzega, że dzieci Afrykanerów są prawie takie same jak dzieci Mulatów – nie mają przewrócone w głowach, żyją bezmyślnie, biegając samopas, a po osiągnięciu pewnego wieku nagle się psują i obumiera w nich całe piękno.

Piękno i pożądanie: niepokoją go uczucia, które budzą w nim nogi tych chłopców, nijakie, doskonałe, bez wyrazu. Co można zrobić z nogami prócz tego, że pożera je się wzrokiem? Co jest celem pożądania?

Tak samo działają na niego nagie rzeźby z *Encyklopedii dla dzieci*: Dafne ścigana przez Apolla, Persefona, którą niewoli Hades. Jest to kwestia kształtów, doskonałości kształtów. Chłopiec ma własne wyobrażenie o tym, jak powinno wyglądać doskonałe ludzkie ciało. Kiedy widzi tę doskonałość przejawiającą się w białym marmurze, przenika go jakiś dreszcz; otwiera się otchłań, a on jest o krok od upadku.

Ze wszystkich tajemnic, które odróżniają go od innych, ta może w sumie być najgorsza. Spośród wszystkich chłopców tylko w nim jednym płynie mroczny nurt erotyzmu; wśród morza niewinności i normalności tylko on jeden pożąda.

Ale mali Afrykanerzy posługują się niewiarygodnie plugawym słownictwem. Znają bez porównania więcej nieprzyzwoitych słów niż on, takich jak *fok*, *piel* i *poes* – wyrazów, przed których monosylabiczną ciężkością chłopiec ze zgrozą się cofa. Jak je się pisze? Póki nie umie ich napisać, nie zdoła ich oswoić we własnym umyśle. Czy *fok* pisze się przez „v”? Taka pisownia przydawałaby słowu dostojeństwa, podczas gdy pisane przez „f” byłoby zupełnie dzikie, pierwotne, bez rodowodu. Słownik nic o tym nie mówi, nie ma w nim tych wyrazów, ani jednego.

Są też takie słowa, jak *gat*, *poep-hol* i tym podobne: chłopcy z afrykanerskich rodzin obrzucają się nimi nawzajem w przypływach obelżywej furii, której siła pozostaje dla niego niezrozumiała. Po co łączyć tylną część ciała z przednią? Co takie słowa jak *gat*, ciężkie, gardłowe i czarne, mają wspólnego z seksem, z jego miękko zachęcającym „s” i tajemniczym ksykaniem na końcu? Zdjęty odrazą, chłopiec nie dopuszcza do siebie myśli o słowach odtylcowych, lecz nadal próbuje rozgryźć znaczenie takich wyrażeń jak *effie* lub *FL;* rzeczy, które za nimi się kryją, nigdy wprawdzie nie widział, ale jakoś wchodzą one w zakres tego, co dzieje się między chłopcami a dziewczynkami w szkole średniej.

Nie jest jednak zupełnym ignorantem. Wie, jak rodzą się dzieci. Wychodzą mamie z pupy, schludne, czyste i białe. Tak mu przed laty powiedziała matka, kiedy był jeszcze mały. Wierzy jej bez zastrzeżeń: dumą napawa go to, że sekret o noworodkach wyjawiła mu tak wcześnie, kiedy inne dzieci wciąż jeszcze zbywano kłamstwami. Dowodzi to, jaka światła jest ona sama i cała ich rodzina. Kuzyn Juan, młodszy od niego o rok, także zna prawdę. Natomiast ojciec wpada w zażenowanie i zaczyna zrzędzić, ilekroć rozmowa schodzi na temat noworodków i ich pochodzenia; ale to tylko kolejny dowód ciemniactwa rodziny ojca.

Koledzy opowiadają inną wersję: według niej dzieci wyłażą z drugiego otworu.

Chłopiec ma pewne abstrakcyjne pojęcie o drugim otworze, który jest schowkiem na penis i źródłem moczu. Ale żeby z tej dziury miały wychodzić dzieci? Nonsens. Przecież dziecko powstaje w żołądku, więc naturalną koleją rzeczy powinno wyjść przez pupę.

Upiera się więc przy pupie, a koledzy przy drugim otworze, zwanym *poes.* Trwa w spokojnym przeświadczeniu, że ma rację. Na tym między innymi opiera się łącząca go z matką więź zaufania.

Rozdział ósmy

On i matka przechodzą przez miejską parcelę przy stacji kolejowej. Syn idzie z matką, a zarazem osobno, bo nie trzyma jej za rękę. Jest jak zwykle ubrany na szaro: w szarą bluzę, szare spodenki i takież podkolanówki. Na głowie ma granatową czapkę z godłem szkoły podstawowej dla chłopców w Worcester: przedstawia ono górski szczyt otoczony gwiazdami, z napisem *PER ASPERA AD ASTRA*.

Jest tylko chłopcem idącym obok matki: z boku wygląda zapewne całkiem normalnie. Ale czuje się tak, jakby uwijał się wokół niej niczym chrząszcz, zataczał kręgi, zaaferowany, z nosem przy ziemi, wywijając nogami i rękami. Właściwie ma wrażenie, że ani jedna cząstka jego osoby nie trwa w bezruchu. Zwłaszcza umysł nieustannie pomyka to tu, to tam, obdarzony własną niecierpliwą wolą.

Pośrodku tej właśnie parceli raz w roku staje namiot cyrkowy i klatki z lwami drzemiącymi na cuchnącej słomie. Lecz dziś jest to tylko spłacheć czerwonej gliny, ubitej, twardej jak skała, na którym nie chce rosnąć trawa.

W ten sobotni ranek, słoneczny i skwarny, są tam też inni ludzie, inni przechodnie, a wśród nich jego rówieśnik biegnący przez plac pod pewnym kątem do nich dwojga. Na jego widok chłopiec natychmiast sobie uświadamia, że ten mały nieznajomy będzie dla niego niezmiernie ważny – istotny nie tyle sam przez się (mogą się przecież nigdy więcej nie zobaczyć), ile z powodu myśli, które kłębią się w głowie i wylatują niby pszczeli rój.

Biegnący chłopak niczym szczególnym się nie wyróżnia. Jest Mulatem, ale Mulatów spotyka się na każdym kroku. Spodenki ma tak obcisłe, że opinają mu zgrabne pośladki, prawie nie zachodząc na szczupłe uda w odcieniu gliniastego brązu. Biegnie boso; podeszwy stóp tak mu pewnie stwardniały, że nawet gdyby nadepnął na kolec *duwweltjie*, tylko by przystanął i schylił się, żeby strzepnąć go ręką.

Takich chłopców są setki, wręcz tysiące, podobnie jak dziewcząt w krótkich sukienkach odsłaniających szczupłe nogi. Chciałby też mieć takie zgrabne. Na takich pięknych nogach płynnie sunąłby po ziemi, jak ten chłopiec, ledwie jej tykając.

Mały biegacz mija ich w odległości kilkunastu kroków, tak pochłonięty sobą, że nawet na nich nie spogląda. Ciało ma idealne, nieskalane, jakby dopiero wczoraj wyłoniło się z muszli. Czemu takie dzieci, czemu chłopcy i dziewczynki, co nie muszą chodzić do szkoły i mogą swobodnie się włóczyć poza zasięgiem czujnego wzroku rodziców, a z własnymi ciałami mają prawo obchodzić się, jak tylko zechcą – czemu nie zbliżają się ze sobą, aby zaznawać seksualnej rozkoszy? Czyżby dlatego, że w swojej niewinności nie wiedzą, jakie rozkosze są w ogóle dostępne, bo sekret ten znają jedynie dusze mroczne, przytłoczone brzemieniem winy?

Właśnie takim torem zawsze biegnie to dociekanie. Z początku może krążyć tędy, owędy, lecz w końcu nieuchronnie zawraca, zbiera się w sobie i wskazuje go palcem. Zawsze on sam nadaje impet ciągowi myśli;

i za każdym razem myślenie wymyka mu się spod kontroli i wraca, żeby go oskarżyć. Piękno jest niewinnością; niewinność jest niewiedzą; niewiedza jest nieznajomością rozkoszy; rozkosz jest winą; a więc i on jest winny. Tamten chłopak o świeżym, nietkniętym ciele zachował niewinność, podczas gdy on tkwi we władzy mrocznych pożądań, jest zatem winny. Wręcz można powiedzieć, że drogą tego długiego rozumowania dotarł tam, skąd widać już słowo „perwersja" przeniknięte mrocznym, zawiłym dreszczem, rozpoczynające się od tajemniczego „p", któremu można przypisać dowolny sens, a potem szybko koziołkujące przez okrutne „r" w stronę mściwego „w". Nie jedno oskarżenie, lecz dwa. Oba oskarżenia przecinają się, a on stoi na ich skrzyżowaniu, przekreślony kreskami celownika. Jego dzisiejszy oskarżyciel jest bowiem nie tylko śmigły jak jeleń i niewinny, podczas gdy on sam jest mroczny, ociężały i pełen winy: tamten jest w dodatku Mulatem, a to znaczy, że nie ma pieniędzy, mieszka w byle jakiej norze i chodzi głodny; znaczy to też, że gdyby matka zawołała „chłopcze!" i skinęła ręką (a przecież z łatwością może to zrobić), tamten musiałby stanąć jak wryty, podejść i spełnić każde jej polecenie (na przykład ponieść koszyk z zakupami), a potem nadstawić złożone dłonie, z wdzięcznością przyjmując napiwek. A jeśliby syn miał potem do matki pretensje, uśmiechnęłaby się tylko i powiedziała:

– Przecież oni są do tego przyzwyczajeni!

A zatem ten chłopak, który przez całe życie bezwiednie kroczył drogą natury i niewinności, który jest ubogi, a więc i dobry (wszak w baśniach ubodzy zawsze są dobrzy), smukły jak węgorz, szybki jak zając, ten chłopak, który z łatwością by go pokonał w każdych zawodach wymagających szybkich stóp lub zręcznych dłoni, ten chłopak, będący dla niego żywym wyrzutem sumienia, zarazem z wielu względów mu podlega w sposób tak żenujący, że chłopiec wzdryga się i wije, nie chcąc już patrzeć na tamtego mimo jego urody.

Ale nie może go zignorować. Od biedy daje się ignorować tubylców, ale na pewno nie Mulatów. Marginalność tych pierwszych można by udowodnić, bo są to świeżej daty przybysze, którzy wtargnęli z północy i nie mają prawa tu być. Widywani w Worcester tubylcy to przeważnie mężczyźni w starych wojskowych płaszczach, palący zakrzywione fajki, mieszkańcy bud z blachy falistej, ustawionych na kształt namiotów wzdłuż torów kolejowych; siła i cierpliwość tych ludzi są wręcz legendarne. Sprowadzono ich, bo w przeciwieństwie do Mulatów nie piją, a w dodatku mogą ciężko pracować w słonecznym skwarze, w którym wątlejsi od nich, mniej zrównoważeni Mulaci padliby z nóg. Ci mężczyźni nie mają kobiet ani dzieci, przybywają znikąd i łatwo można ich tam z powrotem wyprawić.

Ale z Mulatami tak się nie da. Są potomkami białych mężczyzn, takich jak Jan van Riebeeck, i Hotentotek: wynika to w oczywisty sposób nawet z zawoalowanych sformułowań podręcznika do historii. Cała prawda na ten temat jest jeszcze gorsza i bardziej gorzka. W Bolandzie ludzie zwani Mulatami nie są bowiem prapra wnukami Jana van Riebeecka ani żadnego innego Holendra. Chłopiec jest wystarczająco dobrym fizjonomistą; jak daleko sięga pamięcią, dość dobrze zna się na tej dziedzinie, aby wiedzieć, że ci rzekomi Mulaci nie mają w żyłach ani kropli białej krwi. To czyści, autentyczni Hotentoci. Nie tylko pochodzą z tej właśnie krainy, ale ona sama jest z nimi nierozerwalnie związana, od zawsze stanowi ich własność.

Rozdział dziewiąty

Jednym z charakterystycznych dla Worcester udogodnień, jednym z powodów, dla których zdaniem ojca lepiej się mieszka w tym miasteczku niż w Kapsztadzie, jest większa łatwość robienia zakupów. Roznosiciel codziennie przed świtem stawia mleko pod drzwiami; wystarczy sięgnąć po telefon, żeby po godzinie lub dwóch człowiek od Schochata stanął na progu z dostawą mięsa i innej żywności. To całkiem prosty mechanizm.

Chłopak od Schochata, czyli dostawca, jest tubylcem i zna tylko kilka słów po afrykanersku, a po angielsku – ani jednego. Chodzi w czystej białej koszuli z muszką, dwubarwnych butach i białej czapce, w jakiej Bobby Locke grywał w golfa. Na imię mu Josias. Jego rodzice są niezadowoleni, że tak jak wielu przedstawicieli młodego pokolenia tubylców jest nieodpowiedzialny i wszystko, co zarobi, wydaje na szykowne ubrania, ani trochę nie myśląc o przyszłości.

Kiedy matki nie ma w domu, on i brat odbierają od Josiasa zamówione sprawunki, a potem układają je na kuchennej półce i tylko mięso chowają do lodówki. Jeśli w dostawie trafi się skondensowane mleko, przywłaszczają je sobie jako swój łup. Wybijają w puszce otwory i na zmianę pociągają z niej, póki nie opróżnią do dna. Gdy matka wraca do domu, wmawiają jej, że mleka nie dostarczono albo że Josias je ukradł.

Chłopiec nie bardzo wie, czy matka wierzy w tę wersję. Ale to akurat kłamstwo nie budzi w nim szczególnego poczucia winy.

Sąsiedzi od wschodniej strony nazywają się Wynstra. Spośród ich trzech synów najstarszy imieniem Gysbert ma nogi w iks, a bliźniaki Eben i Ezer jeszcze nie chodzą do szkoły. On i brat nabijają się z Gysberta Wynstry, że się tak śmiesznie nazywa i biega miękkim, niezdarnym krokiem. Dochodzą do wniosku, że to idiota, upośledzony na umyśle, i wypowiadają mu wojnę. Pewnego popołudnia biorą pół tuzina jaj, które przyniósł chłopak od Schochata, i rzucają nimi w dach domu Wynstrów, a potem się chowają. Wynstrowie nie wychodzą przed dom, a słońce suszy rozbite jajka, zamieniając je w paskudne żółte plamy.

Chłopiec jeszcze długo potem wspomina przyjemność, jaką sprawia rzut jajkiem, dużo mniejszym i lżejszym niż piłka do krykieta, widok tegoż jajka koziołkującego w powietrzu, a potem miękki chrupot w chwili zderzenia z dachem. Ale ta satysfakcja zabarwiona jest odcieniem winy. Chłopiec nie może zapomnieć, że on i brat bawili się jedzeniem. Jakim prawem zrobili sobie z jajek zabawki? Co by powiedział chłopak od Schochata, gdyby zobaczył, że wyrzucają jajka, które przywiózł aż z miasta na rowerze? Chłopiec czuje, że dostawca, który właściwie nie jest żadnym chłopakiem, tylko dorosłym mężczyzną, nie byłby aż tak zaprzątnięty tym, jak wygląda w czapce *à la* Bobby Locke i w muszce, żeby zachować obojętność, i zdecydowanie by potępił takie wybryki, wcale nie ukrywając, co myśli.

– Jak wy tak możecie, kiedy dzieci głodują? – spytałby swoim marnym afrykanerskim, a oni nie umieliby mu odpowiedzieć. Może gdzieś na świecie wolno rzucać jajkami (na przykład w Anglii, jak mu wiadomo, obrzuca się nimi zakutych w dyby skazańców); ale w tym kraju są sędziowie kierujący się kryteriami prawości. W tym kraju nie można bezmyślnie obchodzić się z żywnością.

Josiasa zna jako czwartego w swoim życiu tubylca. O pierwszym zostało mu mgliste wspomnienie: pamięta głównie to, że tamten po całych dniach chodził w niebieskiej piżamie; był to chłopak, który mył schody w ich bloku w Johannesburgu. Potem pojawiła się Fiela w Plettenberg Bay: brała od nich pranie, była bardzo czarna i bardzo stara, nie miała zębów i piękną, miękką angielszczyzną snuła długie opowieści o dawnych czasach. Twierdziła, że pochodzi z Wyspy Świętej Heleny, na której była niewolnicą. Trzeciego tubylca poznał również w Plettenberg Bay. Rozpętał się straszliwy sztorm; jeden statek zatonął, a wichura szalała dniami i nocami, zanim wreszcie zaczęła słabnąć. Chłopiec chodził z matką i bratem po plaży, oglądając sterty wyrzuconych przez morze szczątków i wodorostów, gdy podszedł do nich siwobrody starzec z koloratką na szyi i parasolem w ręku.

– Człowiek buduje wielkie żelazne statki – oświadczył, zwracając się wprost do nich – ale morze jest silniejsze. Morze jest silniejsze niż wszystko, co człowiek zdoła zbudować.

Kiedy odszedł, matka rzekła:

– Koniecznie zapamiętaj, co powiedział. To stary mędrzec.

Chłopiec nie pamięta, żeby przy jakiejkolwiek innej okazji użyła słowa „mędrzec"; właściwie nie przypomina sobie, żeby kiedykolwiek poza tym je słyszał; znane mu jest wyłącznie z książek. Ale nie tylko staroświeckość tego wyrazu robi na nim wrażenie. Okazuje się, że tubylców można szanować: taki komunikat przekazuje mu matka. Chłopiec przyjmuje go z wielką ulgą, utwierdzając się we własnych na ten temat przypuszczeniach.

W baśniach, które najgłębiej utkwiły mu w pamięci, właśnie trzeci z braci – najskromniejszy i najbardziej wyszydzany – pomaga staruszce dźwigać ciężar albo wyciąga lwu kolec z łapy po tym, jak starsi wyniośle przeszli obok. Trzeci brat jest dobry, uczciwy i odważny w przeciwieństwie do najstarszego i średniego – aroganckich, nielitościwych pyszałków. W zakończeniu opowieści trzeci brat zdobywa książęcą koronę, a tamci dwaj okrywają się hańbą i zostają odprawieni.

Są ludzie biali, są Mulaci i są też tubylcy; ci ostatni zajmują najniższe miejsce, otoczeni największą pogardą. Analogia jest oczywista: tubylcom przypadła rola trzeciego brata.

W szkole w kółko, rok po roku wałkuje się wydarzenia, w których uczestniczyli Jan van Riebeeck, Simon van der Stel, lord Charles Somerset i Piet Retief. Po tym ostatnim następują wojny kafryjskie: Kafrowie wtargnęli w granice kolonii i biali musieli ich odeprzeć; ale wojen kafryjskich było wiele, ich historia jest pogmatwana i tak trudno się w niej połapać, że uczniów nie przepytuje się z nich na egzaminach.

Podczas egzaminów z historii chłopiec zna wprawdzie wszystkie odpowiedzi, ale w głębi duszy nie daje mu spokoju pytanie, dlaczego Jan van Riebeeck i Simon van der Stel byli tacy dobrzy, a lord Charles Somerset – taki zły. Nie darzy też przywódców Wielkiego Marszu sympatią, jakiej się od niego oczekuje, może z wyjątkiem Pieta Retiefa, który został zamordowany, kiedy Dingaan podstępem skłonił go, żeby zostawił broń poza obrębem kraalu. Andries Pretorius i Gerrit Maritz wraz z całą resztą przypominają nauczycieli z liceum albo Afrykanerów z radia: zatwardziali w gniewie, miotają groźby i mówią o Bogu.

W szkole nie omawia się wojny burskiej, przynajmniej nie w średnich klasach z wykładowym angielskim. Krążą pogłoski, jakoby uczono o niej w klasach afrykanerskich, nazywając ją Tweede Vryheidsoorlog, drugą wojną wyzwoleńczą, ale nie zdaje się z niej egzaminów. Wojna burska jako temat drażliwy nie figuruje w programie nauczania. Nawet rodzice chłopca nie chcą o niej mówić: wolą się nie wypowiadać, po czyjej stronie była wtedy słuszność. Tylko matka powtarza czasem coś, co zasłyszała od swojej matki. Otóż kiedy na farmę przyszli Burowie – twierdziła babka – zażądali jedzenia oraz pieniędzy i kazali się obsługiwać. Natomiast angielscy żołnierze spali w stajni, niczego nie ukradli, a przed odmarszem uprzejmie podziękowali za gościnę.

Anglikom i ich pysznym, aroganckim generałom przypada w wojnie burskiej rola czarnych charakterów. Są też głupi, bo noszą czerwone mundury, stając się przez to łatwym celem dla burskich strzelców. Ton opowieści o wojnie sugeruje, że należy czuć sympatię do Burów, którzy walczyli o wolność, stawiając czoło potędze Imperium Brytyjskiego. Ale chłopiec woli ich nie lubić: nie tylko za ich długie brody i brzydkie ubrania, lecz i za to, że kryli się wśród skał i strzelali z zasadzki, lubi zaś Anglików, bo szli na śmierć przy dźwiękach kobz.

W Worcester Anglicy stanowią mniejszość, a w Reunion Park nie ma ich prawie wcale. Prócz chłopca i jego brata, których zresztą tylko w pewnym sensie można uznać za Anglików, mieszkają tu zaledwie dwaj synowie angielskich rodzin: Rob Hart i drobny, żylasty chłopczyna, niejaki Bill Smith, który ma ojca kolejarza i choruje na coś takiego, że łuszczy mu się skóra (matka zabrania chłopcu dotykać dzieci Smithów).

Kiedy chłopiec napomyka, że panna Oosthuizen chłoszcze Roba Harta, rodzice chyba od razu wiedzą, czemu ona to robi. Otóż panna Oosthuizen pochodzi z klanu Oosthuizenów, członków partii nacjonalistycznej; a tymczasem ojciec Roba, właściciel sklepu z narzędziami, był radnym z ramienia Partii Jedności aż do wyborów, które odbyły się w roku 1948.

Rodzice kręcą głowami nad panną Oosthuizen. Uważają, że jest porywcza, niezrównoważona; nie podoba im się, że farbuje włosy henną. Za rządów Smutsa – twierdzi ojciec – nie tolerowano by tego, że nauczycielka uprawia w szkole politykę. Ojciec też należy do Partii Jedności. Właściwie to stracił posadę w Kapsztadzie, a wraz z nią tytuł, z którego matka była taka dumna – kontrolera dzierżaw – kiedy w roku 1948 Malan pokonał Smutsa. Właśnie przez Malana musieli się wyprowadzić z domu w Rosebank, który chłopiec tak tęsknie wspomina, domu z wielkim zapuszczonym ogrodem, wyposażonego w obserwatorium ze sklepionym dachem i dwie piwnice, a on sam musiał rozstać się ze szkołą podstawową w Rosebank i tamtejszymi kolegami, aby przyjechać do Worcester. W Kapsztadzie ojciec chodził co rano do pracy ubrany w szykowny garnitur z dwurzędową marynarką, niosąc w ręku skórzaną dyplomatkę. Kiedy inne dzieci pytały, co robi tata, można było odpowiedzieć: Jest kontrolerem dzierżaw. Zapadało wtedy pełne szacunku milczenie. W Worcester praca ojca nie ma nazwy. Chłopiec musi mówić, że ojciec pracuje w Standard Canners. Ale co tam robi? Siedzi w biurze, prowadzi księgi, niepewnie odpowiada syn. Nie ma pojęcia, na czym polega prowadzenie ksiąg.

Z zakładów Standard Canners pochodzą puszki z brzoskwiniami odmiany Alberta, gruszkami Bartlett i morelami. Standard Canners puszkuje więcej brzoskwiń niż jakikolwiek inny zakład w kraju: tylko z tego słynie ta przetwórnia.

Mimo klęski poniesionej w roku 1948 i śmierci generała Smutsa ojciec wciąż jest wierny Partii Jedności: wierny, lecz ponury. Adwokat Strauss, jej nowy przywódca, to zaledwie blady cień poprzednika; Partia Jedności pod wodzą Straussa nie ma szans wygrać najbliższych wyborów. Co więcej, nacjonaliści, chcąc zapewnić sobie zwycięstwo, zmieniają granice okręgów wyborczych, żeby większość zyskali ich zwolennicy z *platteland*, czyli obszarów wiejskich.

– Czemu oni jakoś temu nie zaradzą? – dziwi się chłopiec.

– Jacy oni? – pyta ojciec. – Kto zdoła się przeciwstawić nacjonalistom? Mogą robić, co zechcą, odkąd są u władzy.

Chłopiec nie rozumie, po co w ogóle przeprowadza się wybory, skoro zwycięska partia ma prawo zmieniać zasady. To tak, jakby pałkarz decydował, kto może serwować, a kto nie.

Ojciec włącza radio w porze wiadomości, ale właściwie tylko dlatego, że interesują go wyniki meczów: latem krykieta, zimą rugby.

Zanim nacjonaliści doszli do władzy, wiadomości nadawano z Anglii. Najpierw grano hymn *God Save the King*, następnie sześciokrotny sygnał z Greenwich, a potem prezenter oznajmiał: „Tu mówi Londyn, nadajemy wiadomości", po czym odczytywał nowiny z całego świata. Teraz wszystko to należy do przeszłości. „Tu Radio Południowa Afryka" – mówi prezenter i zaczyna długą relację z tego, co w parlamencie powiedział doktor Malan.

Tym, co w Worcester najbardziej go drażni i budzi w nim najsilniejsze pragnienie ucieczki, jest kipiąca wściekłość i uraza, które wyczuwa w burskich chłopcach. Ze strachem i odrazą patrzy na zwalistych, bosonogich Afrykanerów w krótkich obcisłych spodenkach – zwłaszcza na tych starszych, ci bowiem przy lada okazji gotowi są zawlec kogoś słabszego w jakieś ciche miejsce pośród veldu i sponiewierać go na rozmaite sposoby, o których zdarzało mu się słyszeć obrzydliwe wzmianki – na przykład wykonać czynność, określaną czasownikiem *borsel*, polegającą (jeśli dobrze zrozumiał) na ściągnięciu spodni i wysmarowaniu jaj pastą do butów (Ale czemu jaj? I skąd tu pasta do butów?); zmaltretowanego odsyłają potem do domu, idzie więc ulicami, półnagi i zapłakany.

Istnieje pewien rodzaj wiedzy tajemnej, do której wszyscy burscy chłopcy najwidoczniej mają dostęp, a studenci odbywający w szkole staż nauczycielski ją upowszechniają; wiąże się ona z inicjacją i tym, co spotyka inicjowanego. Chłopaki z burskich rodzin szepczą o niej tak samo podnieceni jak wtedy, gdy mówią o chłoście. To, co udaje mu się podsłuchać, brzmi odrażająco: na przykład chodzenie w niemowlęcej pieluszce albo picie moczu. Jeśli trzeba przez to przejść, żeby zostać nauczycielem, to on dziękuje za taką karierę.

Krążą pogłoski, jakoby rząd zamierzał nakazać przeniesienie wszystkich dzieci o burskich nazwiskach do klas, w których językiem wykładowym jest afrykanerski. Rodzice chłopca rozmawiają o tym półgłosem, wyraźnie zaniepokojeni. On sam wpada w panikę na myśl, że musiałby przejść do afrykanerskiej klasy. Uprzedza rodziców, że nie posłucha. Odmówi pójścia do szkoły. Próbują go uspokajać.

– Nic się nie zmieni – mówią. – To tylko takie gadanie. Miną lata, zanim oni cokolwiek zrobią w tej sprawie.

Ale to mu wcale nie dodaje otuchy.

Dowiaduje się, że usunięcie rzekomych Anglików z klas angielskich będzie zadaniem inspektorów z kuratorium.

Żyje odtąd w nieustannej zgrozie, że pewnego dnia przyjedzie inspektor, przesunie palcem po liście obecności, wyczyta jego nazwisko i każe spakować książki. Ma jednak na tę ewentualność starannie obmyślony plan. Owszem, spakuje książki i bez szemrania wyjdzie na korytarz. Ale nie pójdzie do afrykanerskiej klasy, tylko spokojnie, nie zwracając na siebie uwagi, pospaceruje do szopy z rowerami, weźmie swój i tak szybko pomknie do domu, że nikt go nie złapie. A potem zamknie drzwi wejściowe na klucz i powie matce, że postanowił już nigdy nie pójść do szkoły i gotów jest popełnić samobójstwo, jeśli matka go wyda.

W pamięć wżarł mu się wizerunek doktora Malana, w którego okrągłej, bezwłosej twarzy nie ma ani odrobiny zrozumienia czy litości. Gardło pulsuje Malanowi jak ropusze. Usta są zaciśnięte.

Chłopiec wciąż pamięta pierwszą decyzję doktora Malana z roku 1948: zakazał on wtedy rozpowszechniania wszystkich komiksów o Kapitanie Marvelu i Supermanie, pozwalając sprowadzać z zagranicy wyłącznie komiksy o zwierzętach, specjalnie tak pomyślane, żeby czytelnik na zawsze pozostał małym dzieckiem.

Myśli o afrykanerskich piosenkach, które każą im śpiewać w szkole. Tak je już znienawidził, że podczas śpiewów ma ochotę krzyczeć, wrzeszczeć i trąbić ustami, jakby pierdział, zwłaszcza przy słowach „*Kom ons gaan blomme pluk*" z piosenki o dzieciach baraszkujących na polach wśród świergoczących ptasząt i wesołych owadów.

W którąś sobotę po południu on i dwaj jego koledzy wyjeżdżają na rowerach z Worcester drogą do De Doorns. Po półgodzinie wokoło nie widać żadnych ludzkich siedlisk. Zostawiają rowery przy drodze i idą na wzgórza. Znajdują jaskinię, rozpalają ogień i jedzą przywiezione kanapki. Nagle zjawia się potężnie zbudowany, zadziorny chłopak burskiego pochodzenia. Ma na sobie szorty w kolorze khaki.

– *Wie het julle toestemming gegee?* – pyta. – Kto wam pozwolił?

Zdumienie odbiera im mowę. Siedzą przecież w jaskini; czyżby wymagało to czyjegoś zezwolenia? Usiłują zmyślić jakieś kłamstwo: daremnie.

– *Julle sal hier moet bly totdat my pa kom* – oświadcza chłopak. – Macie tu zaczekać, póki nie przyjdzie mój ojciec.

Padają słowa *lat*, *strop*: trzcina, pas; wszyscy trzej dostaną nauczkę.

Chłopcu ze strachu kręci się w głowie. Właśnie tu, pośród veldu, gdzie nie ma skąd wezwać pomocy, dostaną lanie. Zapadł nieodwołalny wyrok. Prawda jest bowiem taka, że istotnie zawinili, a najbardziej zawinił on sam. Zapewniał przecież dwóch pozostałych, kiedy przełazili przez płot, że to nie może być niczyja farma, tylko veld. Jest prowodyrem, to on wpadł na ten pomysł, na nikogo nie da się zwalić winy.

Przychodzi farmer z psem, owczarkiem alzackim o żółtych ślepiach i szczwanym pysku. Zaczyna się kolejne przesłuchanie, tym razem po angielsku; padają pytania, na które nie ma odpowiedzi. Jakim prawem tu wleźli? Czemu nie poprosili o pozwolenie? Muszą powtórzyć żałosne, głupie argumenty na swoją obronę: nie wiedzieli, myśleli, że to bezpański veld. Chłopiec przysięga sobie, że nigdy w życiu nie popełni takiego błędu. Nigdy nie zrobi tego głupstwa, żeby przeleźć przez płot i jeszcze się łudzić, że ujdzie mu to na sucho. Ty głupku! – karci się w duchu. Głupku, ostatni głupku!

Farmer akurat nie ma przy sobie trzciny, paska ani bata.

– Macie dziś szczęście – mówi.

Stoją jak wrośnięci w ziemię, nie rozumiejąc.

– Idźcie – rozkazuje farmer.

Jak skończeni durnie ześlizgują się w dół po zboczu, uważając, żeby nie puścić się biegiem, bo wtedy pies mógłby rzucić się w pogoń, szczekając i tocząc pianę z pyska. Wracają do miejsca przy drodze – tam gdzie czekają rowery. Cokolwiek by teraz powiedzieli, i tak nie wyjdą z twarzą. Burowie zachowali się nawet dość przyzwoicie. To oni trzej są przegrani.

Rozdział dziesiąty

Codziennie wczesnym rankiem drogą krajową biegną dzieci Mulatów z piórnikami i podręcznikami w rękach, niektóre nawet z tornistrami, zmierzając do szkoły. Ale wszystkie są małe, bardzo małe: zanim osiągną jego obecny wiek – dziesięć–jedenaście lat – rzucą naukę, ruszą w świat i zaczną na siebie zarabiać.

W dniu urodzin, zamiast urządzić przyjęcie, rodzice dają mu dziesięć szylingów, żeby mógł zafundować kolegom poczęstunek. Zaprasza trzech najlepszych przyjaciół do kawiarni Glob; siadają przy stoliku z marmurowym blatem i zamawiają kompoty bananowe albo czekoladową melbę. Chłopiec czuje się jak książę, szafując w ten sposób przyjemnościami; impreza wspaniale by się udała, gdyby nie psuł jej widok małych kolorowych obdartusów, którzy stoją przed witryną i gapią się na biesiadników.

W ich twarzach chłopiec nie dostrzega ani cienia nienawiści, na którą (gotów jest przyznać) on i jego koledzy zasługują, skoro mają tyle pieniędzy, a Mulaci – płótno w kieszeniach. Wręcz przeciwnie: mali gapie stoją z minami dzieci śledzących popisy cyrkowe: napawają się widowiskiem, bez reszty nim pochłonięci, i nic nie uchodzi ich uwagi.

Kto inny na jego miejscu powiedziałby Portugalczykowi z brylantyną na włosach, który jest właścicielem Globu, żeby przepędził małych żebraków. Tak się przecież robi. Wystarczy zrobić groźny grymas, zamachać rękami i krzyknąć: *Voetsek, hotnot! Loop! Loop!* – a potem zwrócić się do kogoś spośród przygodnych widzów, znajomego lub obcego, i wyjaśnić: *Hulle soek net iets om te steel. Hulle is almal skelms.* (Tylko patrzą, co by tu ukraść. Jeden w drugiego złodzieje.) Ale gdyby wstał i podszedł do Portugalczyka, co by mu powiedział? Psują mi urodziny, to nie w porządku, na ich widok boli mnie serce? Cokolwiek się stanie, czy ktoś te dzieci przepędzi, czy nie, i tak jest za późno, serce już go zabolało.

O Burach myśli, że są bez przerwy wściekli, bo ich bolą serca. A o Anglikach, że nie wpadli we wściekłość, bo żyją za murami i dobrze strzegą własnych serc.

To tylko jedna z jego teorii na temat Burów i Anglików. Łyżką dziegciu w beczce miodu jest, niestety, Trevelyan.

Trevelyan jako jeden z sublokatorów wynajmował od nich pokój, kiedy jeszcze mieszkali przy Liesbeeck Road w Rosebank – tam gdzie chłopiec był taki szczęśliwy, w domu z ogromnym dębem w ogrodzie od frontu. Trevelyan zajmował najlepszy spośród wszystkich pokojów, ten z weneckimi oknami wychodzącymi na ganek. Wysoki, młody, przyjacielski, nie znał ani słowa po afrykanersku i był Anglikiem do szpiku kości. Co rano przed wyjściem do pracy jadł w kuchni śniadanie; wieczorem po powrocie siadał z gospodarzami do kolacji. Swój pokój, do którego i tak nikt nie miał prawa wchodzić, zamykał na klucz; nie było tam zresztą nic ciekawego prócz elektrycznej maszynki do golenia amerykańskiej produkcji.

Ojciec zaprzyjaźnił się z Trevelyanem, chociaż był od niego starszy. Co sobota słuchali razem radiowej transmisji C.K. Friedlandera z meczu rugby w Newlands.

A potem zjawił się Eddie, siedmioletni Mulat z doliny Idy nieopodal Stellenbosch. Miał u nich pracować zgodnie z umową, którą jego matka zawarła z mieszkającą w Stellenbosch ciotką Winnie. Za zmywanie naczyń, zamiatanie i pastowanie podłóg dostawał dach nad głową i wyżywienie, a pierwszego dnia każdego miesiąca jego matce wysyłano przekazem dwa funty i dziesięć szylingów.

Eddie mieszkał i pracował w Rosebank przez dwa miesiące, a potem uciekł. Zniknął w nocy; jego nieobecność zauważono rano. Wezwano policję; okazało się, że nie odbiegł daleko: schował się w krzakach nad rzeką Liesbeeck. Nie znaleźli go policjanci, lecz Trevelyan: zawlókłszy uciekiniera z powrotem do domu, chociaż Eddie bezwstydnie płakał i wierzgał, zamknął go w starym obserwatorium w ogrodzie za domem.

Było oczywiste, że Eddiego trzeba odesłać do doliny Idy. Skoro już raz przestał udawać zadowolonego, uciekałby przy każdej nadarzającej się okazji. Nie nadawał się do służby.

Należało więc zadzwonić do ciotki Winnie ze Stellenbosch, a przedtem rozstrzygnąć kwestię kary, na którą Eddie przecież zasłużył, skoro wywołał takie zamieszanie: to z jego powodu wezwano policję i cały sobotni ranek był zepsuty. Trevelyan zaofiarował się, że osobiście ukarze winowajcę.

Chłopiec ukradkiem zajrzał do obserwatorium podczas wymierzania kary. Trevelyan trzymał Eddiego za nadgarstki i chłostał go skórzanym pasem po gołych nogach. Ojciec stał z boku i patrzył. Eddie wył i tańczył w miejscu, zapłakany i usmarkany.

– *Asseblief, asseblief, my baas!* – zawodził. – *Ek sal nie weer nie!* Już więcej nie będę!

A potem mężczyźni zauważyli, że chłopiec podgląda, i machnęli na niego, żeby sobie poszedł.

Nazajutrz wujostwo przyjechali ze Stellenbosch czarną dekawką i zabrali Eddiego z powrotem do matki, do doliny Idy. Obeszło się bez pożegnań.

Czyli to Trevelyan zbił Eddiego, chociaż był Anglikiem. Miał rumianą cerę i zdążył już trochę utyć, a kiedy tak wymachiwał paskiem, jeszcze bardziej poczerwieniał na twarzy i przy każdym smagnięciu prychał, wściekając się jak pierwszy lepszy Bur. Jak zatem przypadek Trevelyana pasuje do teorii chłopca, że Anglicy są dobrzy?

Chłopiec ma wobec Eddiego dług, o którym nikomu nie wspomniał. Kiedy za pieniądze otrzymane na ósme urodziny kupił rower smithsa i stwierdził, że nie umie jeździć, właśnie Eddie popychał go na plantach w Rosebank, wykrzykując polecenia, póki sztuka utrzymywania równowagi nie przestała nagle być tajemnicą.

Zatoczył wtedy szerokie koło, mocno naciskając na pedały, żeby nie ugrzęznąć w piaszczystym gruncie, aż wrócił do miejsca, gdzie czekał Eddie. Mały Mulat był tak podekscytowany, że podskakiwał w miejscu.

– *Kan ek 'n kans kry?* – zawołał błagalnie. – Mogę się przejechać?

Chłopiec oddał mu rower. Eddiego nie trzeba było popychać: pomknął jak wiatr, stojąc na pedałach, a poły starego granatowego swetra frunęły za nim w powietrzu. Umiał jeździć dużo lepiej niż jego pan.

Chłopiec pamięta, jak siłował się z Eddiem na trawniku. Chociaż Eddie był od niego tylko siedem miesięcy starszy i wcale nie większy, dzięki żylastej krzepie i wytrwałemu dążeniu do celu zawsze zwyciężał. Był jednak ostrożnym zwycięzcą. Ilekroć przeciwnik padał na wznak przygwożdżony do ziemi i już zupełnie bezradny, Eddie pozwalał sobie tylko na przelotny uśmiech triumfu, po czym staczał się z powalonego i przykucał, gotów do kolejnej rundy.

Zapach ciała Eddiego, który czuł podczas tych starć, wciąż tkwi chłopcu w pamięci, podobnie jak dotyk głowy tamtego: czaszki podłużnej jak pocisk karabinowy i krótkich, szorstkich włosów.

Oni mają twardsze głowy niż biali, twierdzi ojciec. Dlatego tacy świetni z nich bokserzy. Z tego samego powodu zdaniem ojca nigdy nie będą dobrzy w rugby, bo do tego sportu potrzebny jest refleks, a nie zakuty łeb.

Pewnego razu podczas zapasów chłopiec niechcący wciska usta i nos we włosy Eddiego. Wdycha ich zapach, smak: zapach i smak dymu.

W każdy weekend Eddie musiał się myć, stojąc w brodziku w łazience służbówki i szorując się namydloną ścierką. Chłopiec i jego młodszy brat przyciągnęli pod okienko łazienki pojemnik na śmieci, stanęli na nim i zaczęli podglądać. Eddie był goły, tylko talię owijał mu skórzany pasek. Ujrzawszy w okienku dwie twarze, uśmiechnął się od ucha do ucha, krzyknął „Hê!" i zatańczył w brodziku, rozchlapując wodę i wcale się nie zasłaniając.

Chłopiec powiedział potem matce:

– Eddie nie zdjął paska, zanim poszedł się myć.

– A niech robi, co chce – odparła.

Nigdy nie był w dolinie Idy, z której pochodzi Eddie. Wyobraża ją sobie jako zimną, podmokłą okolicę. W domu matki Eddiego nie ma elektryczności. Dach przecieka, wszyscy ciągle kaszlą. Kiedy wychodzi się na dwór, trzeba skakać z kamienia na kamień, żeby ominąć kałuże. Jaką jeszcze nadzieję może mieć Eddie, skoro wrócił do doliny Idy zhańbiony?

– Jak myślisz, co teraz porabia Eddie? – pyta chłopiec matkę.

– Na pewno siedzi w domu poprawczym.

– Dlaczego?

– Tacy jak on zawsze lądują w poprawczaku, a potem w więzieniu.

Chłopiec nie pojmuje, czemu jest taka zawzięta na Eddiego. Nie rozumie tych napadów rozgoryczenia, podczas których matka chlasta językiem jak popadnie, z lekceważeniem wyrażając się o Mulatach, o własnym rodzeństwie, o książkach, o wykształceniu, o rządzie. Jest mu właściwie obojętne, co ona myśli o Eddiem, byle tylko z dnia na dzień nie zmieniała zdania. Bo gdy się tak sierdzi, chłopiec ma wrażenie, że podłoga pęka mu pod stopami, a on spada w otchłań.

Wyobraża sobie, że Eddie, ubrany w ten sam stary sweter, kuca, chroniąc się przed deszczem, który wiecznie pada w dolinie Idy, i w towarzystwie starszych kolorowych chłopców pali pety. On sam skończył dziesięć lat i tyle samo ma Eddie w dolinie Idy. Potem Eddie będzie miał jedenaście, lecz on przez pewien czas pozostanie jeszcze dziesięciolatkiem; dopiero później zacznie jedenasty rok. Raz po raz będzie doganiał Eddiego, aby przez chwilę dotrzymywać mu kroku, i za każdym razem znów zostanie w tyle. Jak długo to potrwa? Czy zdoła kiedyś umknąć Eddiemu? Gdyby pewnego dnia minęli się na ulicy, czy Eddie – zapijaczony, zamroczony daggą wyrokowiec – mimo tych wszystkich doświadczeń i nabytej gruboskórności poznałby go, przystanął i zawołał: „*Jou moer!*"?

W tej oto chwili chłopiec wie, że pod przeciekającym dachem domu w dolinie Idy, skulony pod cuchnącym kocem, mając na sobie wciąż ten sam sweter, Eddie o nim myśli. W ciemnościach oczy Eddiego wyglądają jak dwie żółte szparki. Jedno jest pewne: Eddie nie znajdzie dla niego litości.

Rozdział jedenasty

Poza kręgiem rodzinnym niewiele utrzymują kontaktów z ludźmi. Kiedy do domu przychodzi ktoś obcy, chłopiec i jego młodszy brat czmychają jak dzikie zwierzątka, a potem wracają chyłkiem, czają się za drzwiami i podsłuchują. W suficie wywiercili otwory i teraz włażą na poddasze, aby stamtąd zaglądać do salonu. Matka z zażenowaniem słucha dobiegającego z góry szurania.

– To tylko dzieci się bawią – tłumaczy z wymuszonym uśmiechem.

Chłopiec ucieka przed uprzejmymi rozmowami, bo zbijają go z tropu gotowe formułki, z których się one składają (Jak się masz? Jak ci się podoba w szkole?). Nie umie na nie odpowiadać, więc tylko mamrocze i jąka się jak skończony dureń. W sumie jednak wcale się nie wstydzi, że jest taki dziki i nie ma cierpliwości do mdłej gadaniny, do której sprowadza się kulturalna konwersacja.

– Nie możesz zachowywać się normalnie? – pyta matka.

– Nienawidzę normalnych ludzi – z żarem odpowiada chłopiec.

– Nienawidzę normalnych ludzi – jak echo powtarza młodszy brat. Skończył siedem lat. Do twarzy przylepiony ma spięty, nerwowy uśmiech; w szkole czasem wymiotuje bez widocznego powodu i trzeba go wtedy zabierać do domu.

Zamiast przyjaciół mają rodzinę. Rodzina matki to jedyni ludzie na świecie, którzy biorą go mniej więcej takim, jaki jest. Akceptują go – bezczelnego, aspołecznego ekscentryka – nie tylko dlatego, że w przeciwnym razie nie mogliby przyjechać z wizytą, lecz także z tego powodu, że sami też zostali wychowani na ludzi rozhukanych i bezczelnych. Natomiast rodzina ojca karcącym okiem patrzy na chłopca i na wychowanie, jakie zapewniła mu matka. Towarzystwo krewnych ojca go krępuje; gdy tylko udaje mu się wymknąć z ich grona, zaczyna wykpiwać uprzejme banały, którymi się nawzajem częstują (*En hoe gaan dit met jou mammie? En met jou broer? Dis goed, dis goed!* – Jak się miewa mamusia? A twój brat? Dobrze!). Nie da się jednak uniknąć kontaktów z nimi: nie można odwiedzać farmy, nie uczestnicząc w ich rytuałach. Toteż chłopiec wije się z zakłopotania i gardzi sobą za to, że jest takim tchórzem, ale ulega. *Dit gaan goed* – mówi. – *Dit gaan goed met ons almal.* Wszyscy mamy się dobrze.

Wie, że ojciec trzyma przeciwko niemu stronę swoich krewnych. Jest to dla ojca jeden z kilku dostępnych sposobów wyrównywania rachunków z matką. Zimny dreszcz przenika chłopca na myśl, że gdyby w domu rządził ojciec, on sam musiałby prowadzić życie podporządkowane nudnym, głupim formułkom i być taki jak wszyscy. Tylko matka chroni go przed egzystencją, której by nie wytrzymał. Choć więc często bywa zły na matkę, że jest taka powolna i tępa, zarazem lgnie do niej jako do jedynej ostoi. Nie jest synem ojca, lecz jej. Ojca się wypiera i brzydzi. Nigdy nie zapomni tego dnia sprzed dwóch lat, kiedy matka jeden jedyny raz poszczuła go ojcem jak psem spuszczonym z łańcucha (Doszłam już do kresu wytrzymałości, dłużej nie dam rady!). A ojciec z błękitnie płonącym w oczach gniewem szarpnął go i trzepnął.

Chłopiec musi jeździć na farmę, bo nie ma na świecie miejsca, które bardziej by kochał czy choćby umiałby sobie wyobrazić, że je bardziej kocha. Wszystko, co w jego miłości do matki jest skomplikowane, w miłości do farmy jest proste. Lecz odkąd pamięta, miłość ta ma też swoją bolesną stronę. Wolno mu odwiedzać farmę, ale nigdy nie będzie mógł na niej zamieszkać. Farma nie jest jego domem; pozostanie na niej gościem, i to dość skrępowanym. Już teraz z każdym dniem farma i on podróżują odmiennymi drogami, rozdzielają się: nie zbliżają, a oddalają. Kiedyś farma zupełnie zniknie, przepadnie; chłopiec już dziś boleje nad tą stratą.

Farma była niegdyś własnością jego dziadka, ale gdy dziadek umarł, przeszła w ręce stryja Sona, starszego brata ojca. Tylko Son miał rolniczą smykałkę: reszta rodzeństwa aż nazbyt chętnie uciekła do miast i miasteczek. Lecz farma, na której się wychowali, w pewnym sensie wciąż do nich należy, więc co najmniej raz, a czasem nawet dwa razy w roku ojciec odwiedza ją, zabierając z sobą chłopca.

Farma nazywa się Voëlfontein, Ptasie Źródło; chłopiec kocha każdy jej kamień, krzak, źdźbło trawy, ptaki, którym zawdzięcza ona swoje miano, te same ptaki, które z zapadnięciem zmierzchu całymi tysiącami gromadzą się w koronach drzew wokół źródła, nawołując się, szeleszcząc, stroszcząc pióra, szykując się do snu. Chłopiec nie wyobraża sobie, że ktoś mógłby kochać farmę bardziej niż on. Ale nie może nikomu powiedzieć o tej swojej miłości: raz, że normalni ludzie o tego rodzaju sprawach nie mówią, a dwa, że wyznając komuś to uczucie, dopuściłby się zdrady wobec matki – nie tylko dlatego, że ona również pochodzi z farmy, z konkurencyjnej posiadłości leżącej w odległym zakątku świata, i też mówi o niej z miłością i tęsknotą, lecz nigdy nie będzie mogła tam wrócić, bo farmę tę sprzedano obcym ludziom; istotny powód powściągliwości chłopca jest taki, że gospodarze tej prawdziwej farmy, zwanej Voëlfontein, nieradzi goszczą u siebie jego matkę.

Matka nigdy mu nie tłumaczy, czemu tak się dzieje, a on w sumie jest jej za to wdzięczny, w końcu jednak sam dodaje dwa do dwóch i zaczyna to i owo rozumieć. Otóż w latach drugiej wojny światowej matka długo mieszkała z dwojgiem dzieci w jednym wynajętym pokoju w Prince Albert, żyjąc za sześć funtów, które ojciec odliczał ze swojego żołdu starszego szeregowca, plus dwa funty z funduszu pomocy społecznej gubernatora generalnego. Przez cały ten czas ani razu nie zaproszono ich na farmę oddaloną od miasta tylko o dwie godziny jazdy drogą. Chłopiec zna tę historię, bo nawet ojciec po powrocie z wojny wiadomość o tym, jak ich potraktowano, przyjął z gniewem i wstydem.

Z Prince Albert pamięta tylko brzęczenie komarów w długie upalne noce oraz to, że matka chodziła po pokoju w samej halce, zlana potem; tęgie, mięsiste nogi oplatała jej sieć żylaków. Próbowała uspokoić młodszego syna, który był wtedy niemowlęciem i ciągle płakał; starszy pamięta też koszmarnie nudne dni spędzane za zamkniętymi dla ochrony przed słońcem okiennicami. Tak wtedy żyli, tkwiąc w miejscu, za biedni na to, żeby się przeprowadzić, i wyczekiwali zaproszenia, które nigdy nie nadeszło.

Matka do dziś zaciska usta na samą wzmiankę o farmie. Lecz gdy wybierają się tam na Boże Narodzenie, ona także z nimi jedzie. Zbiera się cała licznie rozgałęziona rodzina. We wszystkich pokojach przygotowuje się łóżka, materace i polówki, nawet na długim ganku: pewnego razu chłopiec dolicza się dwudziestu sześciu posłań. Ciotka i dwie służące całymi dniami krzątają się w zaparowanej kuchni: gotują, pieką, wydają posiłek za posiłkiem, kolejne imbryki herbaty i kawy, ciasto za ciastem, a mężczyźni siedzą na ganku i leniwie patrząc, jak powietrze drży nad Karoo, opowiadają sobie historyjki z dawnych czasów.

Chłopiec chciwie chłonie tę atmosferę, upaja się radosną, niedbałą mieszaniną angielskiego i afrykanerskiego, która służy tym ludziom za wspólny język, ilekroć się spotykają. Lubi tę zabawną, roztańczoną mowę, z wkradającymi się tu i ówdzie partykułami. Ten dialekt wydaje się lżejszy, lotniejszy od afrykanerskiego, jakiego uczy szkoła, obciążonego balastem idiomów, które pochodzą rzekomo z *volksmond*, z ust ludu, lecz wedle wszelkich oznak ich jedyną inspiracją jest Wielki Marsz: te ciężkie, nonsensowne wyrażenia mówią wyłącznie o wozach, bydle i uprzęży pociągowych wołów.

Podczas pierwszej wizyty chłopca na farmie, jeszcze za życia dziadka, były tam wszystkie znane mu z książek zwierzęta gospodarskie: konie, osły, krowy z cielętami, świnie, kaczki, stado kur z kogutem, który pianiem witał słońce, nie brakowało też kóz i kozłów. Kiedy dziadek umarł, żywego inwentarza zaczęło ubywać, aż w końcu zostały tylko owce. Na początek sprzedano konie, potem świnie przerobiono na wieprzowinę (ostatnią stryj zastrzelił na oczach chłopca: dostala kulą w miejsce za uchem, chrząknęła i, głośno pierdnąwszy, runęła na ziemię, najpierw na kolana, a potem na bok, i jeszcze przez chwilę dygotała). Później zniknęły krowy i wreszcie kaczki.

A wszystko to z powodu cen wełny. Japończycy płacili dwa funty za kilogram: łatwiej było kupić traktor, niż trzymać konie, łatwiej pojechać nowym studebakerem do

Fraserburg Road po mrożone masło i mleko w proszku, niż wydoić krowę, a potem ubijać mleko w kierzance. Liczyły się tylko owce, owce i ich złote runo.

Można też było nareszcie przestać uprawiać ziemię. Na farmie hodowano już tylko lucernę, bo a nuż na pastwiskach zabraknie trawy i trzeba będzie dokarmiać owce. Z sadów pozostał jedynie pomarańczowy gaj, rok w rok rodzący najsłodsze owoce.

Kiedy ciotki i wujowie, odświeżeni poobiednią drzemką, zbierają się na ganku i przy herbacie zaczynają opowiadać różne historie, wspominają czasem farmę z dawnych lat. Mówią wtedy o swoim ojcu – ziemianinie, który jeździł dwukonnym powozem i uprawiał zboże na polach poniżej cysterny, a potem sam je młócił i mełł.

– Tak, to były czasy – wzdychają.

Lubią tęsknie wspominać przeszłość, ale żadne z nich nie chce jej wskrzesić. A chłopiec, owszem, chciałby. Wolałby, żeby wszystko znów było po dawnemu.

W kącie ganku, w cieniu bugenwilli, wisi płócienny bukłak z wodą. Im gorętszy dzień, tym chłodniejsza woda: jest to cud podobny do tego, który sprawia, że mięso wiszące w ciemnej spiżarce się nie psuje, a dynie leżą na dachu w prażącym słońcu i mimo to wciąż są świeże. Na farmie najwidoczniej nie istnieje coś takiego jak rozkład.

Woda z bukłaka jest cudownie chłodna, ale chłopiec nigdy nie nalewa sobie więcej niż łyk naraz. Dumą napawa go to, jak niewiele pije. Ma nadzieję, że dzięki temu będzie miał spore szanse przetrwania, jeśli kiedyś zabłądzi wśród veldu. Chce się stać pustynnym stworzeniem, rdzennym mieszkańcem okolicznej pustyni, zadomowionym w niej jak jaszczurka.

Tuż nad domem mieszkalnym stoi otoczona kamiennym murem cysterna – sześcian o czterometrowych bokach, napełniany wiatrową pompą – z wodą dla domu i ogrodu. W pewien upalny dzień chłopiec i jego brat spuszczają na wodę wannę z ocynkowanej żelaznej blachy, włażą do niej, chociaż się huśta, i zaczynają wiosłować tam i z powrotem.

Woda napawa go trwogą; przygoda z wanną jest sposobem przezwyciężenia tego lęku. Blaszana łódka kołysze się pośrodku cysterny. Od cętkowanej słońcem wody odbijają się promienie światła; słychać tylko brzęczenie cykad. Odgrodzony od śmierci jedynie cienką warstwą metalu, chłopiec czuje się mimo to bardzo bezpiecznie – tak bardzo, że mógłby prawie się zdrzemnąć. Jest na farmie, a w jej granicach nie może przecież stać się nic złego.

Przedtem tylko raz w życiu płynął łódką; miał wtedy cztery lata. Jakiś mężczyzna (kto taki? Chłopiec bezskutecznie usiłuje wywołać go z niepamięci) zabrał ich na przejażdżkę po lagunie w Plettenberg Bay. Miała to być miła wycieczka, lecz on przez cały czas siedział zastygły w bezruchu, nie odrywając wzroku od dalekiego brzegu. Jeden jedyny raz zerknął za burtę. W głębinie leniwie falowały łodygi trawy wodnej. Było tak, jak się obawiał, a nawet gorzej; zakręciło mu się w głowie. Przed runięciem w śmiertelną otchłań chroniły go tylko wątłe deski, które przy każdym pociągnięciu wioseł jęczały, jakby miały zaraz pęknąć. Mocniej uczepił się burty i zamknął oczy, tłumiąc wzbierającą panikę.

W Voëlfontein mieszkają dwie rodziny Mulatów, w osobnych domach. Niedaleko muru cysterny stoi też dawny dom Outy Jaapa, dziś już pozbawiony dachu. Outa Jaap był na farmie długo przed dziadkiem; chłopiec pamięta go już tylko jako sędziwego starca o mlecznobiałych niewidzących oczach, bezzębnych dziąsłach i sękatych dłoniach, który przesiadywał na ławce w słońcu, a kiedy umierał, chłopca zaprowadzono do niego, być może po błogosławieństwo; nie jest pewien, o co wtedy chodziło. Outa Jaap odszedł, ale jego imię wciąż z szacunkiem się wspomina. Lecz gdy chłopiec pyta, co w tym starcu było takiego wyjątkowego, słyszy całkiem banalne odpowiedzi. Dowiaduje się, że Outa Jaap żył, zanim wzniesiono płoty chroniące przed szakalami, a w tamtych czasach pasterz, który wyprowadzał stado na jedno z dalszych pastwisk, musiał całymi tygodniami mieszkać wśród swoich owiec i nieustannie ich strzec. Outa Jaap należał do pokolenia, które już przeminęło. I tyle.

Chłopiec wyczuwa jednak, co kryje się za tymi słowami. Outa Jaap wrósł w farmę; owszem, dziadek ją kupił i w oczach prawa stał się jej właścicielem, lecz Outa Jaap był z nią nierozerwalnie zrośnięty i wiedział o niej samej, a także o owcach, veldzie i pogodzie więcej, niż biały przybysz kiedykolwiek miał się dowiedzieć. Dlatego Outę Jaapa należało szanować; dlatego też nie ma mowy o tym, żeby odprawić jego syna Rosa, będącego już dziś w sile wieku, chociaż pracuje on marnie, niesolidnie i często popełnia błędy.

Rozumie się, że Ros będzie mieszkał na farmie aż do śmierci, a potem zastąpi go jeden z jego synów. Freek, drugi parobek, jest młodszy i bardziej energiczny od Rosa, bardziej też pojętny i rzetelny. Ale nie przynależy do farmy: rozumie się, że niekoniecznie zostanie na stałe.

Przyjeżdżając na farmę prosto z Worcester, gdzie Mulaci (na to przynajmniej wygląda) wszystko muszą sobie wyżebrać (*Asseblief my nooi! Asseblief my basie!*), chłopiec z ulgą obserwuje poprawne i formalne stosunki między stryjem a tymi, których określa się słowem *volk*. Każdego ranka stryj ustala z dwoma parobkami, co jest tego dnia do zrobienia. Nie wydaje im poleceń, lecz proponuje zadania, które należy wykonać; kolejno je wymienia, jakby kładł karty na stół; robotnicy też wykładają swoje. Co pewien czas następuje pauza, długa chwila pełnego zadumy milczenia, w której nic się nie dzieje. A potem w jakiś zagadkowy sposób nagle się okazuje, że wszystko już postanowiono: kto dokąd się uda i co będzie robił.

– *Nouja, dan sal ons maar loop, baas Sonnie!* Ruszamy!

Ros i Freek wkładają kapelusze i szybko wychodzą.

Tak samo jest w kuchni. Pracują w niej dwie kobiety: żona Rosa imieniem Tryn oraz Lientjie, jego córka z innego małżeństwa. Przychodzą w porze śniadania, a wychodzą po południowym posiłku, tym głównym, który na farmie nosi nazwę obiadu. Obcy ludzie tak onieśmielają Lientjie, że dziewczyna zasłania twarz i chichocze, kiedy ktoś do niej mówi. Gdy jednak chłopiec staje w drzwiach kuchni, słyszy, jak między stryjenką a dwiema służącymi toczy się półgłosem rozmowa, którą uwielbia podsłuchiwać: kobieca paplanina, łagodna i kojąca, opowieści przekazywane z ust do ust, póki nie omówi się wydarzeń nie tylko z samej farmy, lecz i z wioski Fraserburg Road i jej najbliższego otoczenia, a także wszystkich okolicznych farm: miękka, biała pajęczyna plotek osnuwa przeszłość i teraźniejszość, a równocześnie identyczną sieć plotą kobiety w innych kuchniach – u van Rensburgów, Albertsów, Nigrinich, u rozmaitych Bote'ów; opowiadają, kto z kim się żeni, czyją teściową czeka operacja i dlaczego, czyj syn dobrze spisuje się w szkole, czyja córka napytała sobie biedy, kto kogo odwiedził, jak kto kiedy był ubrany.

Ale chłopiec częściej miewa do czynienia z Rosem i Freekiem. Tak bardzo chciałby dowiedzieć się czegoś o ich życiu, że aż płonie z ciekawości. Czy oni noszą podkoszulki i majtki tak samo jak biali ludzie? Czy każdy ma własne łóżko? Sypiają nago, w ubraniach roboczych czy w piżamach? Jadają porządne posiłki nożami i widelcami, siedząc przy stole?

Pytania te pozostają bez odpowiedzi, bo dorośli nie życzą sobie, żeby odwiedzał domy służących. Mówią mu, że byłaby to niegrzeczność: Ros i Freek czuliby się skrępowani.

Ma ochotę spytać, czemu krępujące byłyby jego wizyty u Mulatów, skoro nikogo nie krępuje to, że żona i córka Rosa pracują w domu stryja, gotują, piorą, ścielą łóżka?

Brzmi to przekonująco, ale sam wie, że to kulawy argument. W rzeczywistości bowiem obecność Tryn i Lientjie jest, owszem, krępująca. Chłopiec źle się czuje, kiedy mija Lientjie w korytarzu i oboje muszą udawać: ona, że jest niewidzialna, a on, że wcale jej tam nie ma. Nie lubi patrzeć, jak Tryn klęczy przy balii i pierze mu ubranie. Nie wie, co odpowiedzieć, kiedy służąca zwraca się do niego w trzeciej osobie, tytułując go *„die kleinbaas"*, paniczem, jakby nie był przy tym obecny. Bardzo go to wszystko krępuje.

Łatwiej mu idzie z Rosem i Freekiem. Lecz nawet w rozmowach z nimi musi budować męczeńsko zawiłe zdania, żeby nie mówić im *„ju"*, podczas gdy oni zwracają się do niego *per „kleinbaas"*. Nie bardzo wie, czy Freek jest mężczyzną, czy chłopcem, i czy on sam wychodzi na durnia, kiedy traktuje parobka jak dorosłego. W ogóle co się tyczy Mulatów, zwłaszcza tych z Karoo, nie potrafi wyczuć, w którym momencie wyrastają oni z dzieciństwa. Wedle wszelkich oznak, przemiana ta następuje wcześnie i nagle: jeszcze wczoraj spędzali czas wśród zabawek, a dziś pracują razem z mężczyznami albo zmywają naczynia w czyjejś kuchni.

Freek jest łagodny, nigdy nie podnosi głosu. Ma rower z grubymi oponami i gitarę; wieczorem siada przed drzwiami pokoju, w którym mieszka, i gra sobie na gitarze, uśmiechając się po swojemu, jakby z pewnego oddalenia. W sobotnie popołudnia jeździ na rowerze w stronę Fraserburg Road, zostaje tam aż do niedzieli wieczór i wraca grubo po zapadnięciu nocy: z odległości wielu kilometrów widać maleńkie, chwiejne światełko lampy jego roweru. Chłopcu wydaje się, że pedałować taki szmat drogi to istne bohaterstwo. Gdyby mu pozwolono, czciłby Freeka jak bohatera.

Freek jest najmitą, dostaje swoją tygodniówkę i w każdej chwili można mu wymówić, kazać pakować manatki. Lecz gdy chłopiec widzi, jak Freek siedzi w kucki z fajką w zębach i patrzy na veld, najmita wydaje mu się mocniej zakorzeniony niż rodzina Coetzee – jeśli nie w samym Voëlfontein, to w Karoo. Karoo to kraj Freeka, jego ojczyzna; a członkowie rodziny Coetzee, siedzący na ganku i plotkujący przy herbacie, są jak przelotne jaskółki, dziś tu, jutro tam, a nawet jak wróble, ćwierkające, skoczne i krótkowieczne.

Najlepsze na farmie i w ogóle najlepsze ze wszystkiego jest polowanie. Stryj ma jedną jedyną sztukę broni – ciężkiego lee-enfielda .303, strzelającego zbyt dużymi nabojami jak na rozmiary okolicznej zwierzyny (ojciec zabił kiedyś z tego karabinu zająca i zostały tylko krwawe strzępy). Toteż kiedy chłopiec przyjeżdża na farmę, pożyczają od sąsiada starą dwudziestkędwójkę, jednostrzałową odtylcówkę. Czasem zdarza się niewypał i potem chłopcu godzinami dzwoni w uszach. Nigdy nie udaje mu się niczego z niej upolować, najwyżej żaby w cysternie i czepigi w sadzie. Ale nigdy tak mocno nie czuje, że żyje, jak w te wczesne poranki, gdy on i ojciec wyruszają ze strzelbami w górę suchego koryta Boesmansrivier, tropiąc zwierzynę: antylopy, zające, a na nagich zboczach wzgórz – dropiki.

Co roku w grudniu przyjeżdża z ojcem polować na farmie. Jadą pociągiem: nie jest to ekspres Trans-Karoo, Orange ani tym bardziej Blue Train, bo one są za drogie, a zresztą i tak nie stają we Fraserburg Road, lecz zwykły pociąg osobowy, który zatrzymuje się na wszystkich stacjach, nawet najmniej znanych, a czasem musi zjeżdżać na bocznice i czekać, aż przemkną sławne ekspresy. Chłopiec uwielbia tę powolną jazdę, uwielbia spać na przytulnej kuszetce, dokładnie przykryty białymi krochmalonymi prześcieradłami i granatowymi kocami, które przynosi ktoś z obsługi, uwielbia zbudzić się w nocy na jakiejś cichej stacji wśród bezdroży, słysząc syk silnika na jałowym biegu i stukot młotka, gdy kolejarz sprawdza koła. A kiedy o świcie dojeżdżają do Fraserburg Road, czeka tam na nich szeroko uśmiechnięty stryj Son w starym pilśniowym kapeluszu z plamami oleju i mówi:

– *Jis-laaik, maar jy word darem groot, John!* Ależ ty rośniesz!

Stryj gwiżdże przez zęby, a oni ładują bagaże do studebakera i potem długo nim jadą.

Chłopiec bez zastrzeżeń godzi się na ten rodzaj polowań, które uprawia się w Voëlfontein. Uznaje, że łowy się powiodły, jeśli uda się spłoszyć choćby jednego zająca albo usłyszeć skrzeczącą w oddali parę dropików. To wystarczy, żeby mieć co opowiedzieć reszcie rodziny, która siedzi na ganku i pije kawę, gdy myśliwi wracają, a słońce jest już wysoko na niebie. Przeważnie jednak po takim porannym powrocie nie mają nic do opowiedzenia, nic a nic.

Nie warto ruszać na polowanie w porze największego skwaru, kiedy zwierzyna, którą chcieliby ubić, drzemie w cieniu. Ale późnym popołudniem jadą czasem studebakerem w objazd po przecinających farmę drogach. Stryj Son prowadzi, ojciec siedzi obok niego z lee-enfieldem, a chłopiec i Ros zajmują miejsca z tyłu, na odkrytej ławeczce.

W zwykłej sytuacji to Ros miałby za zadanie wyskakiwać i otwierać bramy zagród, czekać, aż auto przejedzie, a potem zamykać bramę za bramą. Lecz na tych polowaniach zaszczyt ten przypada chłopcu, a Ros tylko przygląda się z aprobatą.

Chcieliby upolować na poły legendarnego pawia. Ale ptaki te widuje się raz, najwyżej dwa razy w roku; są tak rzadkie, że za ustrzelenie jednego z nich grozi pięćdziesiąt funtów grzywny, jeśli myśliwy zostanie przyłapany na gorącym uczynku. Zadowalają się więc polowaniem na dropiki. Ros jedzie z nimi, bo jako Buszmen, choć może nie całkiem czystej krwi, powinien mieć nadludzko bystry wzrok.

I to właśnie Ros pierwszy zauważa dropiki i daje znak, klepiąc dłonią w dach auta: szaro-brązowe ptaki wielkości kur parami i trójkami biegają wśród krzewów. Studebaker zatrzymuje się; ojciec opiera lee-enfielda o dolną krawędź okna i celuje; huk wystrzału niesie się echem po veldzie. Spłoszone ptaki czasem zrywają się do lotu; częściej jednak tylko przyspieszają kroku, gulgocząc po swojemu. Ojciec zawsze chybia, więc chłopiec nie ma okazji z bliska zobaczyć ptaka, zwanego po afrykanersku *korhaan*.

Ojciec w czasie wojny był artylerzystą: obsługiwał działko przeciwlotnicze boforsa, strzelając z niego do niemieckich i włoskich samolotów. Chłopiec zastanawia się, czy ojcu udało się kiedyś strącić samolot; nigdy się tym w każdym razie nie chwali. Jak w ogóle trafił do artylerii? Przecież nie ma do tego żadnego talentu. Czyżby żołnierzom przydzielano zadania w sposób czysto losowy?

Tylko nocą udaje im się cokolwiek upolować, lecz ten rodzaj łowów, jak się chłopiec niebawem dowiaduje, to rzecz wstydliwa i nie należy się nim chwalić. Metoda jest prosta. Po kolacji wsiadają do studebakera i stryj Son wiezie ich po ciemku przez pola lucerny. W pewnym momencie staje i włącza reflektory. W odległości niecałych trzydziestu metrów stoi znieruchomiały steenbok, nadstawiając ku nim uszu, a w olśnionych ślepiach odbija mu się blask reflektorów.

– *Skiet!* – syczy stryj.

Ojciec strzela, a koziołek pada na ziemię.

Mówią sobie, że mają prawo w ten sposób polować, bo antylopy to szkodniki, które wyjadają przeznaczoną dla owiec lucernę. Lecz gdy chłopiec widzi, jaki mały jest martwy koziołek, nie większy od pudla, dostrzega całą czczość tej argumentacji. Polują w nocy, bo tacy marni myśliwi jak oni nie zdołają niczego ustrzelić za dnia.

Ale marynowana w occie i upieczona dziczyzna (chłopiec patrzy, jak stryjenka nacina ciemne mięso, a potem je szpikuje goździkami i czosnkiem) jest jeszcze smaczniejsza od jagnięciny, aromatyczna i taka miękka, że rozpływa się w ustach. W Karoo są same smakołyki: brzoskwinie, arbuzy, dynie, baranina, jak gdyby wszystko, co zdoła się wyżywić na tej jałowej ziemi, było tym samym błogosławione.

Nigdy nie zostaną sławnymi łowcami. Lubi jednak ciężar broni w ręku, tupot butów po szarym rzecznym piachu, ciężką jak chmura ciszę, która zapada, ilekroć przystają, a wokoło rozciąga się ten ukochany krajobraz w kolorach ochry, szarości, beżu i oliwkowej zieleni.

W ostatnim dniu pobytu zgodnie z ustalonym rytuałem chłopiec może wystrzelać z dwudziestkidwójki resztę nabojów, celując w ustawioną na płocie puszkę. Niełatwe to zadanie. Pożyczona strzelba jest kiepska, a z niego żaden snajper. Krewni patrzą z ganku, a on pospiesznie oddaje kolejne strzały, częściej chybiając niż trafiając.

Gdy pewnego ranka sam w wyschniętym korycie rzeki poluje na czepigi, dwudziestkadwójka się zacina. Nie udaje mu się wydobyć łuski, która utkwiła w zamku. Wraca z bronią do domu, ale okazuje się, że stryj Son i ojciec pojechali w veld.

– Niech ci pomoże Ros albo Freek – radzi matka.

Chłopiec zastaje Freeka w stajni. Ale Freek nie chce dotknąć broni. Ros także odmawia, kiedy chłopcu udaje się go odnaleźć. Ani jeden, ani drugi nie podaje powodów odmowy, ale widać, że broń budzi w nich święte przerażenie. Trzeba więc zaczekać, aż wróci stryj i scyzorykiem wydłubie łuskę.

– Prosiłem Rosa i Freeka – skarży się chłopiec – ale nie chcieli mi pomóc.

Stryj kręci głową.

– Nigdy ich nie proś, żeby dotykali broni – mówi.
– Wiedzą, że im nie wolno.

Nie wolno. Dlaczego? Nikt nie chce mu powiedzieć. Ale chłopiec posępnie rozmyśla nad tymi dwoma słowami. Na farmie słyszy je częściej niż gdziekolwiek, nawet częściej niż w Worcester. To dziwne wyrażenie zachęca do popełnienia błędu ortograficznego, bo odruchowo ma się ochotę napisać je łącznie. Niewolno ci tego dotykać. Niewolno ci tego jeść. Gdyby rzucił szkołę i wybłagał, żeby mu pozwolono zamieszkać na farmie, czy taka właśnie byłaby za to cena? Musiałby wyrzec się zadawania pytań, słuchać wszystkich zakazów, spełniać każde polecenie? Czy byłby gotów ugiąć się i zapłacić tę cenę? Czy nie da się żyć w Karoo – jedynym miejscu na świecie, w którym pragnie mieszkać – tak, jak by chciał: nie należąc do rodziny?

Farma jest ogromna: gdy podczas jednego z polowań podchodzą we dwóch do płotu przegradzającego w poprzek koryto rzeki i ojciec oznajmia, że właśnie dotarli do granicy między Voëlfontein a sąsiednią posiadłością, chłopcu zapiera dech ze zdumienia. W jego wyobraźni Voëlfontein stanowi niezależne królestwo. W jednym ludzkim życiu za mało jest czasu, żeby poznać ją całą, każdy jej kamień i krzak. Nawet najdłuższy czas nie wystarcza, kiedy kocha się jakieś miejsce miłością tak zachłanną.

Najlepiej zna ją taką, jaka jest latem, rozpłaszczona pod równomierną nawałą oślepiającego światła, które leje się z nieba. Ale Voëlfontein wciąż ma swoje tajemnice, nienależące do strefy nocy i cienia, lecz do gorących popołudni, kiedy to na horyzoncie tańczą miraże i nawet samo powietrze dźwięczy w uszach. Gdy wszystko drzemie, ogłuszone upałem, chłopiec może wykraść się z domu, stąpając na palcach, i wspiąć się na wzgórze zwieńczone labiryntem kamiennych zagród, pochodzących z tych zamierzchłych czasów, gdy owce całymi tysiącami trzeba było sprowadzać z veldu, żeby je policzyć, ostrzyc albo wykąpać. Mury wokół zagród mają ponad pół metra grubości i sięgają chłopcu ponad głowę; zbudowano je z płaskich niebieskoszarych kamieni, te zaś wszystkie co do jednego przywieziono wózkiem zaprzężonym w osły. Chłopiec usiłuje sobie wyobrazić, jak to było, kiedy stada owiec, z których ani jedna dziś już nie żyje, kryły się przed słońcem w cieniu murów. Próbuje sobie wyobrazić Voëlfontein z czasów, gdy dopiero stawiano dom mieszkalny i jego przybudówki, a kamienne zagrody też były jeszcze w trakcie budowy: wymagało to wielu lat cierpliwej, mrówczej pracy. Szakale, które niegdyś zagryzały owce, tymczasem wytępiono – jedne zastrzelono, inne wytruto – więc kamienne kraale stały się bezużyteczne i stopniowo popadają w ruinę.

Mury kraalu kilometrami ciągną się po zboczu wzgórza. Nic między nimi nie rośnie: ziemia została udeptana na twardą skorupę i na zawsze zabita; chłopiec nie wie, jak to się stało, ale jej powierzchnia jest cała w plamach, niezdrowa, żółta. On sam po wejściu w obręb murów zrywa więź ze wszystkim oprócz nieba. Zabroniono mu przychodzić w to miejsce, bo może się tu natknąć na groźnego węża, a gdyby musiał krzykiem wezwać pomocy, nikt nie usłyszy. Gady, ostrzegano go, rozkoszują się takimi skwarnymi popołudniami: wypełzają z nor – kobry plujące, żmije sykliwe, węże z gatunku skaapsteker – żeby wylegiwać się w słońcu, grzejąc swoją zimną krew.

Jeszcze ani razu nie widział w kraalu węża, ale na wszelki wypadek patrzy pod nogi.

Freek napotyka skaapstekera za kuchnią, tam gdzie kobiety suszą pranie. Tłucze go kijem na śmierć, a potem wiesza długi żółty zewłok na krzaku. Kobiety jeszcze przez wiele tygodni omijają to miejsce. Węże biorą ślub na całe życie, twierdzi Tryn; kiedy zabija się samca, przypełza żądna zemsty samica.

Wiosna, czyli wrzesień, to najlepsza pora na odwiedziny w Karoo, chociaż chłopiec ma wtedy zaledwie tydzień wakacji. Pewnego razu jest z ojcem na farmie właśnie we wrześniu i oto przybywają postrzygacze. Zjawiają się jakby znikąd: dzicy mężczyźni na rowerach obładowanych śpiworami i naczyniami kuchennymi.

Są to, jak się okazuje, bardzo niezwykli ludzie. Kiedy ściągają na farmę, jest to uśmiech losu. Aby ich zatrzymać, przeznacza się na rzeź tłustego hamela, czyli skopa. Postrzygacze zajmują starą stajnię i urządzają w niej sobie kwaterę. Gdy w nocy ucztują, do późna płonie ognisko.

Chłopiec przysłuchuje się długiej rozmowie stryja Sona z ich przywódcą; jest to mężczyzna tak ciemnoskóry i nieposkromiony, że mógłby prawie być tubylcem; ma spiczastą brodę, a spodnie nosi związane w pasie sznurem. On i stryj rozmawiają o pogodzie, o stanie pastwisk w takich okręgach jak Prince Albert, Beaufort i Fraserburg, a także o wynagrodzeniu. Postrzygacze mówią po afrykanersku z tak silnym akcentem i używają tylu dziwnych idiomów, że chłopiec ledwo ich rozumie. Skąd pochodzą? Czyżby istniał gdzieś jeszcze głębszy interior, jeszcze bardziej odcięty od świata matecznik niż okolica Voëlfontein?

Nazajutrz, godzinę przed świtem, wyrywa go ze snu tupot kopyt: pierwsze stada owiec mijają dom, pędzone do zagród obok strzyżarni. Zaczynają się budzić domownicy. W kuchni trwa już krzątanina, pachnie kawą. O pierwszym brzasku chłopiec wychodzi na dwór, ubrany, tak podniecony, że nie może jeść.

Dostaje zadanie do wykonania. Ma pilnować blaszanego kubka z suszoną fasolą. Ilekroć któryś z przybyszów skończy strzyc kolejną owcę i puści ją, klepiąc po zadzie, a ona wbiegnie nerwowym kłusem do drugiej zagrody (różowa, goła, draśnięta tu i ówdzie nożycami), postrzygacz rzuci ściętą wełnę na stół do sortowania i będzie mógł wyjąć z kubka ziarno fasoli, uprzejmie kiwając głową i mówiąc „My basie!".

Kiedy chłopiec ma już dość pilnowania kubka (postrzygacze mogą przecież sami brać sobie ziarna fasoli, bo wychowali się na wsi i nigdy nawet nie słyszeli o czymś takim jak nieuczciwość), idzie wraz z młodszym bratem pomagać przy ładowaniu wełny do worków; obaj podskakują na kłębowisku grubych, gorących, tłustych kłaków. Jest z nimi kuzynka Agnes, która przyjechała ze Skipperskloof. Ona i jej siostra dołączają do zabawy; cała czwórka baraszkuje, chichocząc i turlając się jak na ogromnej pierzynie.

Chłopiec jeszcze nie bardzo rozumie, jakie miejsce zajmuje w jego życiu Agnes. Miał siedem lat, kiedy pierwszy raz ją zobaczył. Zaproszeni do Skipperskloof, przyjechali późnym popołudniem po długiej podróży koleją. Po niebie mknęły chmury, słońce nie grzało. W jego chłodnym zimowym blasku rozpościerał się veld, ciemnoniebieski z czerwonawym odcieniem, bez śladu zieleni. Nawet dom mieszkalny – surowy biały prostokąt pod stromym dachem z blachy cynkowej – sprawiał niegościnne wrażenie. Było zupełnie inaczej niż w Voëlfontein, chłopiec wcale nie chciał tam zostać.

Przydzielono mu do towarzystwa Agnes, o kilka miesięcy starszą od niego. Zabrała go na przechadzkę po veldzie. Szła boso, nie miała nawet własnych butów. Niebawem dom zniknął im z oczu i znaleźli się na zupełnym pustkowiu. Zaczęli rozmawiać. Agnes miała włosy zaplecione w mysie ogonki i sepleniła; jedno i drugie mu się podobało. Wyzbył się swojej zwykłej rezerwy. Przestał nawet zwracać uwagę na to, w jakim mówi języku: myśli same przybierały w jego wnętrzu formę słów, całkiem przejrzystych.

Już nie pamięta, co wtedy mówił Agnes. Ale zwierzył jej się ze wszystkiego, co robił i wiedział, ze wszystkich swoich nadziei. W milczeniu chłonęła jego słowa. A on mówił, nieustannie świadom, że ten dzień jest dzięki niej zupełnie wyjątkowy.

Słońce zaczęło się zniżać, ogniście karmazynowe, a mimo to lodowate. Chmury pociemniały, wiatr nabrał ostrości i ciął przez ubranie. Agnes miała na sobie tylko cienką bawełnianą sukienkę; stopy zsiniały jej z zimna.

– Gdzieście się podziewali? Coście robili? – spytali dorośli, kiedy dzieci wróciły do domu.

– *Niks nie* – odparła Agnes. – Nic.

W Voëlfontein nie wolno jej chodzić na polowanie, ale mogą swobodnie włóczyć się we dwoje po veldzie albo łapać żaby w wielkim zbiorniku na wodę, tym nieobmurowanym. Chłopiec czuje się z nią inaczej niż z kolegami ze szkoły. Odgrywa tu pewną rolę jej delikatność, gotowość słuchania, lecz także smukłe, opalone nogi, bose stopy, taneczny krok, jakim przeskakuje z kamienia na kamień. On sam jest bystry, przoduje w swojej klasie; ona podobno także jest bystra; łazęgują, rozmawiając o sprawach, nad którymi dorośli tylko kręciliby głowami: czy wszechświat miał jakiś początek; co leży za Plutonem, tą mroczną planetą; gdzie jest Bóg, jeśli istnieje.

Czemu tak łatwo mu się z nią rozmawia? Dlatego że to dziewczynka? Na każde zdanie, jakie mu się nasuwa, Agnes odpowiada bez zahamowań, łagodnie, bez wahania. Są ciotecznym rodzeństwem, więc nie mogą się w sobie zakochać i pobrać. Chłopiec przyjmuje to z czymś w rodzaju ulgi: może się z nią swobodnie przyjaźnić, otworzyć przed nią serce. Czy aby jednak w niej się nie kocha? Czy to właśnie jest miłością: ta łatwa wielkoduszność, to wrażenie, że nareszcie zostało się zrozumianym i nie trzeba udawać?

Postrzygacze pracują przez cały dzień, z krótkimi przerwami na jedzenie; strzygą na wyścigi, wzajemnie się podbechtując. Podobnie jest nazajutrz. Wieczorem drugiego dnia praca dobiega końca, wszystkie owce są ostrzyżone. Stryj Son wychodzi z płócienną torbą pełną banknotów i monet i płaci każdemu postrzygaczowi, licząc uzbierane przez niego ziarna fasoli. Znowu rozpala się ognisko i urządza ucztę. Rano postrzygaczy już nie ma, a życie na farmie wraca do dawnego powolnego tempa.

Bel wełny jest tyle, że wysypują się z szopy. Stryj Son chodzi wśród nich z szablonem i poduszeczką nasączoną tuszem, odbijając na każdej swoje nazwisko, nazwę farmy i numer gatunku wełny. Kiedy po wielu dniach przyjeżdża ogromna ciężarówka (jak zdołała przebrnąć przez piaszczyste koryto Boesmansrivier, w którym grzęzną nawet auta osobowe?), bele ładuje się na nią i wywozi.

Powtarza się to latami. Co roku przybywają postrzygacze, co roku pojawia się nastrój przygody i podniecenia. Nigdy się to nie skończy; nie ma powodu, żeby się skończyło, póki nie wyczerpią się lata.

Wiążące chłopca z farmą tajne i święte słowo brzmi „należeć". Kiedy jest sam pośród veldu, może westchnąć półgłosem: Należy mi się miejsce na farmie. W głębi duszy myśli jednak co innego (nie mówi tego głośno, lecz zachowuje wyłącznie dla siebie, z obawy, że czar pryśnie), w odmienny sposób widząc tę przynależność: Należę do farmy.

Nie zwierza się z tego nikomu, bo to zdanie tak łatwo jest opacznie zrozumieć, nadając mu odwrotny sens: Farma należy do mnie. Farma nigdy nie będzie do niego należała, a on zawsze pozostanie na niej jedynie gościem: jest z tym pogodzony. Myśl, że mógłby kiedyś naprawdę zamieszkać w Voëlfontein, uznać tamtejszy stary wielki dom za własny i robić, co mu się żywnie podoba, nie prosząc już o pozwolenie, przyprawia go o zawrót głowy, więc ją odrzuca. Należę do farmy; dalej nie zamierza się posunąć nawet w największej skrytości serca. Lecz w głębi duszy zdaje sobie sprawę z czegoś, co na swój sposób wie też sama farma: otóż Voëlfontein nie należy do nikogo. Posiadłość jest większa od wszystkich, którzy mogliby rościć sobie do niej prawa. Istnieje od wieczności po wieczność. Kiedy oni wszyscy już umrą, a dom popadnie w ruinę jak kamienne zagrody na zboczu wzgórza, farma wciąż będzie trwać.

Pewnego razu zapuszcza się głęboko w veld, a gdy jest już daleko od domu, pochyla się, nabiera piasku w dłonie i zaciera je, jakby mył. Wykonuje w ten sposób rytualny gest. Wymyśla rytuał. Sam jeszcze nie zna jego sensu, lecz cieszy się, że nikt go przy tym nie widzi i nie poskarży.

Przynależność do farmy to jego tajemny los – przypisane od dnia narodzin przeznaczenie, któremu jednak z radością się poddaje. Drugą tajemnicą jest to, że choćby nie wiedzieć jak się wzbraniał, wciąż jeszcze należy do matki. Nie uchodzi jego uwagi, że te dwa rodzaje poddaństwa są ze sobą sprzeczne. Widzi też, że na farmie matka ma nad nim najmniejszą władzę. Jest kobietą, więc nie może polować, nie może nawet wędrować po veldzie, jest zatem w niekorzystnej sytuacji.

Chłopiec ma dwie matki. Urodził się dwukrotnie: raz z łona kobiety, drugi raz z farmy. Ma dwie matki i ani jednego ojca.

Niecały kilometr od domu droga się rozwidla: w lewo do Merweville, w prawo do Fraserburga. Na rozstajach jest cmentarz ogrodzony parkanem z bramą. Najbardziej rzuca się na nim w oczy marmurowy nagrobek dziadka otoczony kilkunastoma niższymi, skromniejszymi grobami, u których wezgłowi stoją łupkowe tablice, jedne z wyrytymi nazwiskami i datami, inne bez żadnych napisów.

Dziadek jako jedyny zmarły nosi nazwisko Coetzee, bo tylko on zdążył umrzeć, odkąd farma przeszła na własność rodziny. Tu właśnie skończył niegdysiejszy domokrążca z Piketbergu, który otworzył potem sklep w Laingsburgu i został tamtejszym burmistrzem, zanim kupił hotel we Fraserburg Road. Spoczywa w grobie, ale farma wciąż należy do niego. Jego dzieci biegają po niej jak karły, a wnuki są karłami pośród karłów.

Po przeciwnej stronie drogi jest drugi cmentarz, nie-ogrodzony, na którym część grobów uległa już takiemu zniszczeniu, że zapadła się w ziemię. Leżą na nim służący i najmici z farmy, ci z czasów Outy Jaapa i jeszcze dużo dawniejszych. Na nielicznych ocalałych nagrobkach nie ma imion ani dat. Chłopca ogarnia jednak na tym cmentarzu bardziej nabożny lęk niż wśród zgromadzonych wokół dziadka pokoleń Bote'ów. Nie jest to bynajmniej obawa przed duchami. W Karoo nikt nie wierzy w duchy. Wszystko, co umiera, pada ofiarą śmierci raz na zawsze, nieodwracalnie: mrówki obierają ciało z kości, te zaś wybiela słońce i na tym sprawa się kończy. Lecz wśród grobów chłopiec stąpa nerwowo. Z ziemi bije milczenie tak głębokie, że prawie daje się słyszeć jako monotonny szum.

Po śmierci chciałby zostać pochowany na farmie. Jeśli nie będzie na to zgody, niech go spalą, a prochy rozrzucą w Voëlfontein.

Drugim miejscem, do którego co roku wybiera się z pielgrzymką, jest Bloemhof: to tam stał pierwszy na farmie dom mieszkalny. Ocalały tylko fundamenty, ale nie ma w nich nic ciekawego. Przed domem była niegdyś cysterna napełniana wodą z podziemnego źródła, dziś już od dawna wyschniętego. Po ogrodzie i sadzie nie został najmniejszy ślad. Lecz obok miejsca, gdzie dawniej biło źródło, z gołej ziemi wyrasta ogromna samotna palma. W jej pniu zagnieździły się małe, czarne, zajadłe pszczoły. Pień sczerniał od dymu ognisk, które ludzie od lat rozpalają, żeby zabrać pszczołom miód; ale rój wciąż pozostaje, chociaż trudno sobie wyobrazić, gdzie w tym suchym, szarym pejzażu zbiera nektar.

Chłopcu byłoby miło, gdyby pszczoły rozumiały, że przychodzi do nich z czystymi rękami, nie chcąc ich okraść, lecz powitać, okazać szacunek. Ilekroć jednak zbliża się do palmy, zaczynają gniewnie brzęczeć; zwiadowczynie rzucają się na niego i odpędzają; przy jednej z takich okazji musi w te pędy uciekać: z rojem pszczół na karku sromotnie czmycha przez veld, biegnie zygzakiem, wymachując rękami i dziękując losowi, że nikt go nie widzi i nie wyśmiewa.

W każdy piątek zabija się owcę, żeby nakarmić mieszkańców farmy. Chłopiec towarzyszy Rosowi i stryjowi Sonowi, kiedy idą wybrać tę, która ma umrzeć; potem stoi i patrzy, jak w służącym do tego celu miejscu za szopą, niewidocznym z domu, Freek przytrzymuje nogi ofiary, a Ros małym, nieszkodliwym z wyglądu scyzorykiem podrzyna jej gardło; następnie obaj mężczyźni mocno trzymają zwierzę, które wierzga, szamocze się i charczy, gdy krew uchodzi z niego wraz z życiem. Chłopiec przygląda się, jak Ros obdziera ze skóry jeszcze ciepłe ciało, wiesza je na gałęzi kauczukowca, rozpruwa brzuch, wyrywa wnętrzności i rzuca je do miski: wielki, siny, wypchany trawą żołądek, jelita (z odbytnicy wyciska kilka ostatnich bobków, których zwierzę nie zdążyło wydalić), serce, wątrobę, nerki – wszystko, co kryje się w ciele owcy i w jego własnym też.

Tym samym scyzorykiem Ros kastruje jagnięta. Chłopiec obserwuje również i tę operację. Młode wraz z matkami wybiera się spośród stada i zapędza do zagrody. Ros wchodzi między nie, po kolei łapie je za zadnią nogę i przyciska do ziemi, chociaż jagnię beczy z trwogi, wydając rozpaczliwe jęki. Mężczyzna rozcina mosznę, szybkim ruchem schyla głowę, chwyta zębami jądra i wyrywa je, podobne do dwóch małych meduz, za którymi wloką się sinoczerwone naczynia krwionośne.

Ros przy okazji ucina też ogon i rzuca go na bok, pozostawiając krwawy kikut.

Krótkonogi, w luźnych, donaszanych po kimś spodniach z obciętymi poniżej kolan nogawkami, w butach własnej roboty i wystrzępionym pilśniowym kapeluszu, łazi po zagrodzie jak błazen, wybierając i bez litości oporządzając baranki. Kiedy operacja dobiega końca, obolałe, krwawiące stoją u boku matek, które w żaden sposób nie próbowały ich obronić. Ros zamyka scyzoryk. Robota skończona. Twarz wykrzywia mu napięty uśmieszek.

O tych scenach nie da się rozmawiać.

– Czemu jagniętom trzeba obcinać ogony? – pyta chłopiec matkę.

– Bo inaczej muchy lęgłyby im się w podogoniu – słyszy w odpowiedzi.

Oboje udają; oboje wiedzą, czego naprawdę dotyczy pytanie.

Pewnego dnia Ros daje mu scyzoryk do ręki i pokazuje, jak łatwo można nim przeciąć włos, który pod dotykiem ostrza wcale się nie ugina, lecz rozpada na dwa kawałki. Ros codziennie ostrzy scyzoryk, popluwa na osełkę i sunie po niej klingą tam i z powrotem – lekko, swobodnie. Od wieloletniego ostrzenia, używania i ponownego ostrzenia ostrze tak się już starło, że został z niego tylko wąski skrawek. Łopata Rosa też służy mu od tak dawna i tyle razy była ostrzona, że zostało jedynie kilka centymetrów stali; drewniane stylisko po wielu latach pracy jest gładkie, sczerniałe od potu.

– Nie powinieneś się temu przyglądać – mówi matka w któryś piątek po zabiciu owcy.

– Dlaczego?

– Nie powinieneś, i już.

– Ale ja chcę.

I chłopiec znów idzie popatrzeć, jak Ros rozpina skórę i posypuje ją solą.

Lubi obserwować Rosa, Freeka i stryja przy pracy. Chcąc skorzystać z tego, że cena wełny wciąż jest wysoka, Son postanowił hodować więcej owiec. Ale po latach skąpych opadów veld spustynniał, a trawa i krzaki są wyskubane do samych korzeni. Stryj zaczął więc grodzić farmę, dzieląc ją na mniejsze pastwiska, dzięki czemu owce będzie można przepędzać z jednego na drugie, żeby trawa miała czas odrosnąć. Wraz z Rosem i Freekiem codziennie wyrusza z domu i aż do wieczora wbija słupki w twardą jak skała ziemię, rozwija setki metrów drutu i napina go jak cięciwę, przytwierdzając do palików.

Zawsze jest miły dla bratanka, ten jednak wie, że Son w gruncie rzeczy go nie lubi. Po czym to poznaje? Po skrępowaniu, które w jego obecności wyziera z oczu stryja, i po wymuszonym tonie głosu Sona. Gdyby stryj naprawdę go lubił, zachowywałby się przy nim równie swobodnie i spontanicznie jak wobec Rosa i Freeka. A tymczasem Son zawsze uważa, żeby zwracać się do bratanka po angielsku, chociaż chłopiec odpowiada mu po afrykanersku. Dla obu stało się to sprawą honoru; zapędzili się w kozi róg i nie umieją się z niego wydostać.

Mówi sobie, że w niechęci stryja nie ma niczego osobistego: bierze się ona wyłącznie stąd, że on, syn młodszego brata Sona, jest starszy od stryjecznego braciszka, który jeszcze nie wyrósł z niemowlęctwa. Boi się jednak, że ta awersja może sięgać głębiej: Sonowi nie podoba się to, że chłopiec darzy przywiązaniem wyłącznie matkę, tę przybłędę, a nie ojca; i za to, że nie jest rzetelny, uczciwy, prawdomówny.

Gdyby mógł sam zdecydować, czy woli być synem Sona czy własnego ojca, wybrałby stryja, chociaż nieodwołalnie stałby się wtedy Afrykanerem i zanim pozwolono by mu wrócić na farmę, musiałby tak jak wszystkie dzieci farmerów spędzić całe lata w czyśćcu afrykanerskiej szkoły z internatem.

Może to właśnie stanowi głębszy powód niechęci Sona: czując, że ten dziwny dzieciak żywi wobec niego jakieś niejasne roszczenia, stryj odrzuca je, jakby strząsał z siebie nazbyt przylepne niemowlę.

Chłopiec nieustannie obserwuje Sona, podziwiając zręczność, z jaką stryj wykonuje wszelkie możliwe prace – począwszy od podania lekarstwa choremu zwierzęciu, a skończywszy na naprawie pompy o napędzie wiatrowym. Szczególnie fascynuje go to, jak świetnie Son zna się na owcach: jednym rzutem oka potrafi ocenić nie tylko wiek oraz rodowód zwierzęcia i rodzaj wełny, jaką da się z niego uzyskać, lecz także smak każdej części ciała. Wybierając owcę na rzeź, umie z góry przewidzieć, z której będą smacznie uduszone żeberka, a z której pieczone udźce.

Chłopiec lubi mięso. Niecierpliwie czeka, kiedy wreszcie będzie południe i zadźwięczy dzwonek zwiastujący obfity posiłek: na stół wjadą salaterki pieczonych kartofli, żółty ryż z rodzynkami, bataty z sosem karmelowym, dynia z brązowym cukrem i miękki, krajany w kostki chleb, słodko-kwaśna fasola, sałatka z buraków, a pośrodku, na honorowym miejscu, stanie półmisek baraniny z sosem do polewania. Lecz odkąd zobaczył, jak Ros zarzyna owce, nie lubi dotykać surowego mięsa. Po powrocie do Worcester woli omijać sklepy mięsne. Odrazę budzi w nim niedbała swoboda, z jaką rzeźnik ciska na ladę połeć mięsa, a potem odcina kawałek i zawija go w papier, na którym wypisuje cenę. Słysząc zgrzytliwy jęk piły taśmowej tnącej kość, ma ochotę zatkać sobie uszy. Nie wzdryga się na widok wątroby, bo nie bardzo rozumie, na czym polega jej funkcja w żywym organizmie, ale odwraca wzrok od serc wystawionych w gablocie, a zwłaszcza od tac z podrobami. Nawet na farmie nie chce jeść podrobów, chociaż uchodzą za wielki przysmak.

Nie pojmuje, czemu owce tak łatwo godzą się z losem, czemu nigdy się nie buntują, lecz pokornie idą na śmierć. Skoro antylopy wiedzą, że nie ma nic gorszego, niż wpaść w ludzkie ręce, i do ostatniego tchu usiłują się wyrwać, to skąd u owiec ta głupota? One także są przecież zwierzętami i mają po zwierzęcemu wyostrzone zmysły: czemu więc nie słyszą ostatniego beczenia ofiary zarzynanej za szopą, nie czują odoru krwi i nie przyjmują tego wszystkiego do wiadomości?

Kiedy jest wśród owiec, które spędzono, żeby je poddać odkażającej kąpieli, więc tłoczą się w zagrodzie, nie mogąc uciec, miewa czasem ochotę szeptem przestrzec je przed tym, co niesie im przyszłość. Ale w ich żółtych ślepiach przelotnie błyska coś takiego, że chłopiec milknie: rezygnacja, wyraźne przeczucie nie tylko tego, co Ros robi owcom za szopą, lecz i losu, jaki je czeka, gdy o suchym pysku odbędą długą podróż ciężarówką i dojadą wreszcie do Kapsztadu. Wiedzą to wszystko aż do najdrobniejszych szczegółów, a jednak biernie się poddają. Obliczyły cenę i gotowe są ją zapłacić za prawo do miejsca na ziemi, prawo do życia.

Rozdział dwunasty

W Worcester stale wieje wiatr, zimą przenikliwy i lodowaty, latem gorący i suchy. Wystarczy spędzić godzinę pod gołym niebem, żeby mieć pełno drobnego czerwonego pyłu we włosach, w uszach, na języku.

Chłopiec jest zdrowy, pełen życia i energii, a jednak wygląda na to, że raz po raz się przeziębia. Kiedy rano budzi się ze ściśniętym gardłem i z czerwonymi oczami, nie może przestać kichać, a gorączka na przemian skacze mu i spada.

– Jestem chory – chrypi, zwracając się do matki. Ta dotyka grzbietem dłoni jego czoła.

– Skoro tak, musisz zostać w łóżku – wzdycha.

Trzeba jeszcze przebrnąć przez jeden trudny moment, kiedy ojciec pyta:

– Gdzie jest John?

– Jest chory – odpowiada matka, na co ojciec prycha i mówi:

– Znowu udaje.

Chłopiec leży cicho jak trusia, póki ojciec i brat nie wyjdą, a on będzie nareszcie mógł przez cały dzień zajmować się czytaniem.

Czyta błyskawicznie, bez reszty pochłonięty lekturą. Ilekroć choruje, matka musi dwa razy w tygodniu wstępować do wypożyczalni po książki dla niego: dwie na swoją legitymację i dwie na jego własną. On stara się tam nie chodzić, bo bibliotekarka mogłaby zacząć go wypytywać, gdyby sam przyszedł z książkami.

Wie, że jeśli chce zostać wielkim człowiekiem, musi czytać poważne książki. Powinien wzorem Abrahama Lincolna czy Jamesa Watta ślęczeć przy świecy, kiedy wszyscy już śpią, uczyć się łaciny, greki i astronomii. Nie pożegnał się z myślą o wielkości; obiecuje sobie, że wkrótce zacznie czytać coś poważnego; lecz na razie pociągają go tylko fabułki.

Czyta całą serię książek Enid Blyton, napawając się ich tajemniczością, wszystkie opowieści o synach Hardy'ego i te o Bigglesie. Ale najbardziej lubi opowiadania P.C. Wrena o francuskiej Legii Cudzoziemskiej.

– Kto jest największym pisarzem na świecie? – pyta ojca. Ten odpowiada, że Szekspir.

– Dlaczego nie P.C. Wren?

Ojciec nigdy nie czytał P.C. Wrena i pomimo swojej żołnierskiej przeszłości najwyraźniej nie ma ochoty go czytać.

– P.C. Wren napisał czterdzieści sześć książek. A ile zdążył napisać Szekspir? – rzuca ojcu wyzwanie chłopiec, po czym zaczyna wyliczać tytuły.

– Aaa! – mówi ojciec poirytowanym, lekceważącym tonem, ale nie znajduje odpowiedzi.

Chłopiec uznaje, że skoro ojciec lubi Szekspira, to widocznie Szekspir jest marnym pisarzem. Zaczyna jednak czytać jego dramaty – pożółkłe tomy o wystrzępionych stronicach; ojciec dostał to wydanie w spadku i może ono być teraz warte mnóstwo pieniędzy, bo jest stare. Próbując odgadnąć, czemu ludzie twierdzą, że Szekspir jest wielki, chłopiec najpierw czyta *Tytusa Andronikusa* ze względu na rzymskie imię bohatera, a potem *Koriolana*; opuszcza długie monologi, tak jak w książkach z wypożyczalni omija opisy przyrody.

Ojciec prócz Szekspira ma jeszcze wiersze Wordswortha i Keatsa. Matka jest posiadaczką zbiorku wierszy Ruperta Brooke'a. Tomy poezji zajmują honorowe miejsce na gzymsie nad kominkiem w salonie, a obok nich stoi Szekspir, *Księga z San Michele* w skórzanym futerale i książka A.J. Cronina o lekarzu. Chłopiec robi dwa podejścia do *Księgi z San Michele*, ale za każdym razem odpada. Nie potrafi dojść, kim właściwie jest Axel Munthe, czy książka zawiera historię prawdziwą, czy zmyśloną, i czy opowiada o dziewczynie, czy o miejscu.

Pewnego dnia ojciec przynosi mu do pokoju tom Wordswortha.

– Powinieneś przeczytać te wiersze – mówi, wskazując tytuły, które zaznaczył ołówkiem.

Po kilka dniach znowu zagląda do syna, bo chce porozmawiać o wierszach.

– Łoskot wodospadu prześladował mnie jak namiętność – cytuje. – To wspaniała poezja, prawda?

Chłopiec coś mamrocze, unika wzroku ojca, odmawia udziału w tej grze. Ojciec niebawem rezygnuje.

Syn nie żałuje, że zachował się opryskliwie. W życiu ojca nie widzi miejsca dla poezji; podejrzewa go o zwykłe pozerstwo. Kiedy matka opowiada, że uciekając przed drwinami sióstr, musiała ukrywać się z książką na strychu, chłopiec jej wierzy. Ale nie potrafi sobie wyobrazić, jak ojciec mógł w dzieciństwie czytać wiersze, skoro teraz czyta wyłącznie gazety. Z ojcem jako chłopcem kojarzą mu się jedynie żarty, śmiechy i palenie papierosów w krzakach.

Obserwuje ojca, gdy ten czyta gazetę: szybko, nerwowo przegląda kolejne stronice, jakby szukał czegoś, czego w gazecie wcale nie ma, przewraca kartki, z trzaskiem przyklepując je otwartą dłonią. A kiedy już skoń-

czy lekturę, składa gazetę w wąski pasek i rozwiązuje
krzyżówkę.

Matka także wielbi Szekspira. Uważa, że *Makbet* to
jego najwspanialsza sztuka.

– Gdyby coś tam mogło pochwycić skutki – trajkocze
i raptem urywa. – ... i przynieść wraz z jego kresem po-
wodzenie – dodaje po chwili, kiwając głową do taktu. –
Wszystkie pachnidła Arabii nie zdołałyby obmyć tej drob-
nej dłoni – ciągnie.

Właśnie *Makbeta* przerabiała w szkole; nauczyciel sta-
wał za nią i szczypał w rękę, póki nie wyrecytowała całego monologu.

– *Kom nou, Vera!* – mówił. – No, dalej!

Szczypał ją, a ona wyciskała z siebie jeszcze parę słów.

Chłopiec nie rozumie, jak to się dzieje, że matka z jednej strony jest za głupia, żeby mu pomóc w odrabianiu
lekcji na poziomie czwartej klasy, a z drugiej – bezbłęd-
nie włada angielskim, zwłaszcza w piśmie. Używa słów we
właściwym znaczeniu i nienagannie posługuje się grama-
tyką. Swobodnie radzi sobie z tym językiem; stanowi on
obszar, na którym jej sprawność jest niepodważalna. Jak
do tego doszła? Jej ojcem był Piet Wehmeyer: cóż za pła-
skie, burskie nazwisko. Na zdjęciu z rodzinnego albumu,
w koszuli bez kołnierzyka i kapeluszu z szerokim rondem,
wygląda jak pierwszy lepszy farmer. W okręgu Unionda-
le, w którym mieszkali Wehmeyerowie, w ogóle nie było
Anglików; chyba wszyscy sąsiedzi nazywali się Zondagh.
Nazwisko panieńskie babki ze strony matki brzmiało Marie du Biel; jej rodzice byli Niemcami, bez kropli angielskiej krwi w żyłach. Lecz gdy Marie du Biel zaczęła rodzić
dzieci, nadawała im angielskie imiona (Roland, Winifred,
Ellen, Vera, Norman, Lancelot) i w domu mówiła do nich
po angielsku. Gdzież ona i Piet nauczyli się tego języka?

Angielszczyzna ojca niewiele ustępuje angielszczyźnie matki, chociaż skażona jest dość wyraźnym akcentem burskim. Ojciec mówi „czydzieści" zamiast „trzydzieści" i nieustannie kartkuje kieszonkowy słownik oksfordzki języka angielskiego, szukając słów do krzyżówek. Wydaje się, że zna przynajmniej w pewien odległy sposób wszystkie wyrazy ze słownika i każdy idiom. Ze smakiem wymawia co bardziej nonsensowne idiomy, jakby chciał je sobie lepiej wbić w pamięć: „zakasać rękawy", „zrobić klapę".

W lekturze Szekspira chłopcu nie udaje się zajść dalej niż do końca *Koriolana*. Ale w gazecie nudzi go wszystko prócz działu sportowego i komiksów. Gdy nie ma nic innego do czytania, czyta zielone książki.

– Przynieś mi jakąś zieloną książkę! – woła do matki, kiedy leży chory.

Zielone książki to *Encyklopedia dla dzieci* Arthura Mee, która podróżuje z rodziną Coetzee, odkąd chłopiec pamięta. Przeczytał je już dziesiątki razy; kiedy był mały, wyrywał im kartki, bazgrał w nich kredkami i łamał okładki, więc teraz trzeba się z nimi delikatnie obchodzić.

Właściwie nie czyta zielonych książek: niecierpliwi go zawarty w nich tekst, zanadto egzaltowany i dziecinny; wyjątek stanowi druga połowa tomu dziesiątego, czyli indeks obfitujący w konkretne wiadomości. Chłopiec ślęczy za to nad ilustracjami, zwłaszcza nad fotografiami marmurowych rzeźb, które przedstawiają nagich mężczyzn i kobiety ze skąpymi przepaskami wokół bioder. Jego erotyczne sny pełne są gładkich, smukłych dziewcząt z marmuru.

Jego przeziębienia mają tę zdumiewającą właściwość, że błyskawicznie mijają, a przynajmniej takie odnosi się wrażenie. Najpóźniej o jedenastej kichanie ustaje, głowa już nie ciąży: chłopiec czuje się znakomicie. Ma dość prze-poconej, cuchnącej piżamy, nieświeżych koców, zapadnię-tego materaca i zasmarkanych chustek, które wszędzie się poniewierają. Wstaje z łóżka, ale zostaje w piżamie, nie chcąc kusić losu. Uważając, żeby przypadkiem nie wychy-lić się na dwór, bo a nuż ktoś z sąsiadów albo przechod-niów by go zadenuncjował, bawi się „małym konstrukto-rem", układa znaczki w klaserze, nawleka guziki na sznur-ki albo plecie warkocze z resztek wełny. Uzbierał już pełną szufladę własnoręcznie uplecionych warkoczy, które mog-łyby co najwyżej służyć za paski do szlafroka, gdyby miał szlafrok. Kiedy matka wchodzi do jego pokoju, chłopiec stara się zrobić jak najnieszczęśliwszą minę, mężnie zno-sząc jej kąśliwe uwagi.

Ze wszystkich stron osaczają go podejrzenia o to, że kłamie. Nigdy nie udaje mu się wmówić matce, że na-prawdę zachorował; ilekroć ulega ona jego błaganiom, robi to niechętnie i wyłącznie dlatego, że nie potrafi mu odmówić. Koledzy uważają go za lalusia i maminsynka.

Lecz jemu naprawdę często się zdarza, że rankiem tuż po przebudzeniu ledwie może oddychać; miewa wielomi-nutowe napady tak spazmatycznego kichania, że dyszy, szlocha i najchętniej by umarł. Wcale nie symuluje tych przeziębień.

Każdy opuszczony dzień w szkole wymaga pisemnego usprawiedliwienia. Chłopiec zna na pamięć standardowy tekst matki: „Proszę usprawiedliwić wczorajszą nieobec-ność Johna. Był ciężko przeziębiony, więc uznałam, że po-winien zostać w łóżku. Szczerze oddana...". Syn wręcza nauczycielom te listy, które matka pisze jako kłamstwa, a oni tak też je czytają, z obawą w sercu.

Kiedy po zakończeniu roku szkolnego liczy, ile dni opuścił, wychodzi na to, że prawie co trzeci. Ale i tak wciąż jest prymusem. Wyciąga stąd wniosek, że to, co się dzieje na lekcjach, nie ma żadnego znaczenia. Zawsze uda mu się nadrobić zaległości w domu. Gdyby mógł sam o sobie decydować, przez cały rok omijałby szkołę z daleka i przychodziłby do niej tylko po to, żeby zdać pisemne egzaminy.

Nauczyciele nie mówią nic, czego wcześniej nie napisano w podręcznikach. Chłopiec nie gardzi nimi za to, podobnie zresztą jak inni uczniowie. Jest mu nawet przykro, gdy od czasu do czasu wychodzi na jaw ignorancja kogoś z profesorów. Gdyby tylko mógł, starałby się osłaniać swoich nauczycieli. Uważnie słucha każdego ich słowa, ale nie tyle dla nauki, ile po to, żeby nie dać się przyłapać na bujaniu w obłokach (Co przed chwilą powiedziałem? Powtórz, co mówiłem!), bo w każdej chwili może zostać wywołany do tablicy i upokorzony.

Nie wątpi, że jest niezwykły, wyjątkowy. Ale nie wie jeszcze, po co w ogóle przyszedł na świat. Podejrzewa, że nie będzie z niego żaden Artur ani Aleksander, już za życia otoczony uwielbieniem. Ludzie docenią go dopiero po śmierci.

Czeka na wezwanie. Gdy ono zabrzmi, będzie gotowy. Odpowie na nie bez wahania, choćby musiał pójść na śmierć, tak jak żołnierze Lekkiej Brygady.

Miarą, według której siebie mierzy, jest VC – Krzyż Wiktorii. Dostają go tylko Anglicy. Nie mają go Amerykanie ani – ku jego rozczarowaniu – Rosjanie. Południowoafrykańczyków też się nim oczywiście nie odznacza.

Nie uchodzi jego uwagi, że skrót „VC" to zarazem inicjały matki.

Południowa Afryka jest krajem bez bohaterów. Wolraad Woltemade może i by się nadawał na bohatera, gdyby nie miał takiego śmiesznego nazwiska. Raz za razem wypływać w morze podczas sztormu, żeby ratować nieszczęsnych marynarzy – to niewątpliwie dowodzi odwagi; ale czy odważny był jeździec, czy raczej jego wierzchowiec? Na samą myśl o siwym koniu Wolraada Woltemade'a, powracającym nieustraszenie (zachwyca go dobitna, niezachwiana moc tego słowa), aby zanurzyć się w morskich falach, dławi go w gardle.

Vic Toweel walczy z Manuelem Ortizem o mistrzostwo świata w wadze koguciej. Walka odbywa się w sobotni wieczór; chłopiec do późna siedzi z ojcem przy radiu, słuchając transmisji. W ostatniej rundzie zakrwawiony, wyczerpany Toweel rzuca się na przeciwnika. Ortiz się zatacza; publiczność szaleje, sprawozdawca ochrypł od krzyku. Sędziowie ogłaszają werdykt: Viccie Toweel z Południowej Afryki jest nowym mistrzem świata. Syn i ojciec krzyczą z zachwytu, padając sobie w ramiona. Chłopiec nie wie, jak dać upust radości. Pod wpływem nagłego impulsu łapie ojca za włosy i szarpie z całej siły. Ojciec wyrywa się i jakoś dziwnie na niego patrzy.

Przez wiele dni gazety pełne są zdjęć z tej walki. Viccie Toweel zostaje bohaterem narodowym. Lecz uniesienie chłopca szybko gaśnie. Nadal jest mu przyjemnie, że Toweel pokonał Ortiza, ale nasuwa się pytanie, czemu właściwie ma to być powód do radości. Kim jest dla niego Toweel? Dlaczego nie miałby swobodnie wybierać między Toweelem a Ortizem w boksie, tak jak w rugby wybiera między drużynami Hamiltons i Villagers? Czy musi kibicować Toweelowi, brzydkiemu człowieczkowi o pochylonych barkach, wielkim nosie i czarnych oczkach bez wyrazu, bo Toweel (pomimo śmiesznego nazwiska) jest Południowoafrykańczykiem? Czy Południowoafrykańczycy muszą popierać innych Południowoafrykańczyków, nawet jeśli ich nie znają?

Ojciec nie potrafi mu pomóc. Nigdy nie mówi niczego zaskakującego. Zawsze przepowiada, że zwycięstwo przypadnie Afryce Południowej albo Prowincji Przylądkowej Zachodniej – w rugby, w krykiecie czy w jakimkolwiek innym sporcie.

– Jak myślisz, kto wygra? – zaczepia go syn w przeddzień meczu Prowincji Zachodniej z Transvaalem.

– Prowincja Zachodnia pobije Transvaal na głowę – automatycznie stwierdza ojciec.

Potem słuchają transmisji radiowej i wygrywa Transvaal. Ojciec przyjmuje to bez mrugnięcia okiem.

– Za rok wygra Prowincja Zachodnia – oświadcza. – Zobaczysz.

Zdaniem chłopca, głupio jest wierzyć w nieuchronne zwycięstwo Prowincji Zachodniej tylko dlatego, że się pochodzi z Kapsztadu. Lepiej zakładać, że wygra Transvaal, a potem mile się zdziwić, jeśli jednak przegra.

W dłoni wciąż czuje dotyk włosów ojca, szorstkich i mocnych. Gwałtowność tamtego gestu nie przestaje go zdumiewać i niepokoić. Jeszcze nigdy nie obszedł się tak bezceremonialnie z ojcowskim ciałem. Wolałby, żeby to się nigdy nie powtórzyło.

Rozdział trzynasty

Jest późno. Wszyscy już śpią. Chłopiec leży w łóżku i wspomina. Na łóżko pada smuga pomarańczowego światła jednej z latarń, które przez całą noc palą się w Reunion Park.

Wspomina coś, co wydarzyło się rano podczas apelu, kiedy chrześcijanie śpiewali te swoje hymny, a Żydzi i katolicy swobodnie się wałęsali. Dwaj starsi chłopcy z katolickich rodzin osaczyli go w kącie.

– Kiedy wreszcie przyjdziesz na katechezę? – spytali.

– Nie mogę, w każdy piątek po południu załatwiam mamie różne sprawy – skłamał.

– Skoro nie chodzisz na katechezę, to nie możesz być katolikiem – powiedzieli.

– Właśnie że jestem katolikiem – obstawał przy swoim, znowu kłamiąc.

Gdyby zdarzyło się najgorsze, myśli teraz, stojąc w obliczu właśnie tego najgorszego, gdyby ksiądz odwiedził matkę i spytał, czemu jej syn nigdy nie chodzi na katechezę, albo – inny koszmar – gdyby dyrektor ogłosił, że wszyscy chłopcy o burskich nazwiskach zostaną przeniesieni do klas z wykładowym afrykanerskim, otóż gdyby ta zmora miała się ziścić, a jemu pozostałoby jedynie cofnąć się do stadium wściekłych wrzasków, szaleństw i płaczu, do dziecięcych zachowań, o których wie, że wciąż w nim tkwią, zwinięte jak sprężyna... gdyby po tej burzy miał zrobić ostatni, rozpaczliwy krok – oddać się matce pod opiekę, odmówić pójścia do szkoły, błagać o ratunek – gdyby się w ten sposób całkowicie i ostatecznie zhańbił, ujawniając coś, co po swojemu wie tylko on sam, również po swojemu – matka, a może także ojciec po swojemu (czyli z dezaprobatą) sobie uświadamia: to, że on wciąż jest małym dzieckiem i nigdy nie dorośnie; gdyby zatem runęły wszystkie fikcje, które go obudowały (którymi sam się obudował dzięki temu, że przez długie lata zachowywał się normalnie, w każdym razie przy obcych ludziach stwarzał pozory normalności), a jego wstrętne, czarne, zapłakane, niemowlęce jestestwo wyłoniło się i odtąd wszyscy mogliby je zobaczyć i wyśmiać – czy znalazłby wtedy sposób, żeby dalej żyć? Czy nie stałby się równie beznadziejnym przypadkiem jak te zdeformowane, skarlałe dzieci o ochrypłych głosach i zaślinionych ustach, ci mali mongołowie, których równie dobrze można by uśpić tabletkami albo udusić?

Wszystkie łóżka w domu są stare i sterane, mają zapadnięte sprężyny i skrzypią przy lada poruszeniu. Starając się zachować jak największy bezruch, chłopiec leży na boku w padającej z okna smużce światła, czując własne ciało, skulone, z przyciśniętymi do piersi pięściami. W milczeniu próbuje sobie wyobrazić własną śmierć. Odejmuje siebie od wszystkiego po kolei: od szkoły, od domu, od matki; usiłuje sobie wyobrazić dni, krążące odtąd swoim torem bez niego. Ale nie potrafi. Zawsze coś jeszcze zostaje, coś małego i czarnego, coś jakby orzech albo żołądź wyjęty z ognia, suchy, spopielony, twardy, niezdolny do wzrostu, a jednak obecny. Chłopiec umie sobie wyobrazić, że umiera, lecz nie to, że znika. Choćby nie wiedzieć jak się starał, nie może unicestwić ostatnich resztek osadu, który z niego pozostaje.

Czym właściwie jest to, co przedłuża jego istnienie? Czyżby to był lęk przed rozpaczą matki, tak straszną, że sama myśl o niej w ułamku sekundy staje się nie do zniesienia? (Widzi, jak matka w pustym pokoju stoi i milczy, zakrywając oczy dłońmi; a potem syn spuszcza na nią zasłonę, na cały ten obraz). A może jest w nim jeszcze coś innego, co wzbrania się przed śmiercią?

Przypomina sobie, jak poprzednim razem dał się zapędzić w kozi róg, kiedy dwaj mali Burowie wykręcili mu ręce do tyłu i zaprowadzili go za ziemny wał, na koniec boiska do rugby. Pamięta zwłaszcza tego większego, który był taki gruby, że sadło wylewało mu się spod kolorowych ciuchów: jeden z tych idiotów albo prawie idiotów, co to umieją połamać człowiekowi palce lub zmiażdżyć tchawicę z taką samą łatwością, z jaką ukręcają ptakom łebki, błogo się przy tym uśmiechając. Niewątpliwie się bał, serce mu łomotało. Ale jak bardzo prawdziwa była ta trwoga? Gdy wraz ze swoimi oprawcami szedł przez boisko, czy jakiś głębszy głos w jego wnętrzu, całkiem zresztą dziarski, nie mówił: Nie przejmuj się, jesteś nietykalny, to tylko jeszcze jedna przygoda?

Jesteś nietykalny, nic nie jest dla ciebie niewykonalne. Oto dwie jego właściwości, które na dobrą sprawę są jedną właściwością – chwalebną, a jednocześnie karygodną. Właściwość, która jest dwiema właściwościami, oznacza, że on nigdy nie umrze, cokolwiek się stanie; ale czy nie znaczy to zarazem, że nigdy nie będzie żył?

Jest niemowlakiem. Matka chwyta go pod pachy i bierze na ręce, zwróconego twarzą do przodu. Nogi bezwładnie mu zwisają, głowa opada, jest goluteńki; lecz matka trzyma go przed sobą, wchodząc w świat, i sama nie musi widzieć, dokąd zmierza: wystarczy, że będzie za nim podążała. Stawia krok za krokiem, przed nim zaś wszystko kamienieje i rozsypuje się w proch. Bo on ma tę moc, chociaż jest tylko niemowlakiem z brzuchem jak bęben i głową na chwiejnej szyi.

A potem zasypia.

Rozdział czternasty

Telefon z Kapsztadu: ciotka Annie przewróciła się na schodkach swojego mieszkania w Rosebank. Złamała nogę w biodrze i zabrano ją do szpitala. Ktoś musi przyjechać, żeby pozałatwiać za nią różne sprawy.

Jest lipiec, środek zimy. Nad całym Przylądkiem Zachodnim rozpościera się warstwa chłodu i deszczu. On, matka i młodszy brat wsiadają do porannego pociągu do Kapsztadu, a potem autobusem przez Kloof Street zajeżdżają pod Volkshospitaal. Ciotka Annie, maleńka jak dziecko w nocnej koszuli w kwiaty, leży na oddziale kobiecym. Oddział jest zatłoczony: staruszki o niechętnych, zaciętych twarzach szurają nogami, łażąc w szlafrokach, i syczą coś pod nosem; tłuste, rumiane kobiety z pustką w oczach siedzą na brzegach łóżek, nie zważając na to, że spod koszul wylewają im się piersi. W kącie wisi głośnik, z którego słychać pogram radia Springbok. Jest trzecia po południu, trwa koncert życzeń: orkiestra Nelsona Riddle'a gra utwór *When Irish Eyes Are Smiling*.

Ciotka Annie zwiędłą dłonią kurczowo chwyta matkę za rękę.

– Chcę stąd wyjść, Vero – mówi tym swoim ochrypłym szeptem. – To nie miejsce dla mnie.

Matka poklepuje ją po ręce, próbując uspokoić. Na szafce nocnej stoi szklanka z wodą na sztuczną szczękę i leży Biblia.

Siostra oddziałowa mówi, że złamane biodro już nastawiono. Ciotka Annie musi jeszcze poleżeć miesiąc, zanim kość się zrośnie.

– Niemłoda jest, więc to trochę potrwa.

Potem będzie musiała chodzić o kuli.

Pielęgniarka po namyśle dodaje, że kiedy ciotkę Annie przywieziono do szpitala, paznokcie u nóg miała długie i czarne jak ptasie szpony.

Jego brat jest znudzony, zaczyna jęczeć, że chce mu się pić. Matka zatrzymuje jakąś pielęgniarkę i nakłania ją, żeby przyniosła szklankę wody. Starszy syn z zakłopotaniem odwraca wzrok.

Muszą przejść korytarzem do sekretariatu pomocy społecznej.

– Czy państwo są krewnymi chorej? – pyta tamtejszy pracownik. – Mogą państwo wziąć ją do siebie?

Matka zaciska usta. Kręci głową.

– Dlaczego ona nie może wrócić do swojego mieszkania? – pyta potem matkę chłopiec.

– Nie da rady wejść po schodach ani zrobić zakupów.

– Nie chcę, żeby z nami mieszkała.

– Nie zamieszka u nas.

Pora odwiedzin dobiegła końca, czas się pożegnać. Ciotka Annie ma łzy w oczach. Tak mocno ściska rękę matki, że trzeba jej siłą odgiąć palce.

– *Ek wil huistoe gaan, Vera* – szepcze. – Chcę do domu.

– Jeszcze tylko kilka dni, ciociu Annie, i znów będziesz mogła chodzić – odpowiada matka swoim najbardziej kojącym tonem.

Chłopiec widzi ją od całkiem nowej strony: zdradzieckiej.

Potem przychodzi kolej na niego. Ciotka Annie wyciąga rękę. Jest nie tylko jego cioteczną babką, lecz także matką chrzestną. Na zdjęciu w albumie trzyma w objęciach niemowlę, którym ma być podobno on sam. Stoi na tle kościoła ubrana w czarną suknię do kostek i staromodny czarny kapelusz. Ponieważ trzymała go do chrztu, wydaje jej się, że łączy ją z nim szczególna więź. Chyba nie czuje, jaką budzi w nim odrazę, kiedy leży pomarszczona i wstrętna w szpitalnym łóżku, wstrętna jak cały ten oddział, pełen paskudnych bab. Chłopiec stara się nie okazać obrzydzenia, ale pali się ze wstydu. Jakoś wytrzymuje to, że ciotka Annie dotyka jego ręki, ale chciałby już sobie pójść, wyjść ze szpitala i nigdy do niego nie wracać.

– Taki jesteś bystry – oświadcza ciotka Annie niskim, ochrypłym głosem, którym zawsze mówiła, jak daleko chłopiec sięga pamięcią. – Jesteś już dużym mężczyzną, matka na tobie polega. Musisz ją kochać i być dla niej oparciem, tak samo jak dla braciszka.

Być oparciem dla matki? Co za bzdura. Matka jest jak skała, jak kamienna kolumna. To nie on musi ją wspierać, lecz ona jego! A w ogóle to po co ciotka Annie wygaduje takie rzeczy? Udaje, że zaraz umrze, chociaż tylko złamała nogę w biodrze.

Kiwa głową, starając się zrobić poważną, skupioną, potulną minę, ale w rzeczywistości tylko czeka, aż ciotka go puści. A ona posyła mu ten znaczący uśmiech, który w jej odczuciu podkreśla szczególną więź łączącą ją z pierworodnym Very, chociaż on sam tej więzi ani trochę nie czuje i nie uznaje. Oczy ciotki są pozbawione wyrazu, jasnoniebieskie, spłowiałe. Skończyła osiemdziesiąt lat i już ledwo widzi. Nawet w okularach nie bardzo może czytać

Biblię, tylko kładzie ją sobie na kolanach i szeptem powtarza jej słowa.

W końcu rozluźniła uchwyt; chłopiec coś mamrocze i odchodzi.

Teraz kolej na jego brata. Młodszy z chłopców daje się pocałować.

– Do widzenia, droga Vero – chrypi ciotka Annie. – *Mag die Here jou seën, jou en die kinders.* Niech Bóg błogosławi ciebie i twoje dzieci.

Jest piąta po południu, zaczyna się ściemniać. W nowym dla nich harmidrze miejskiej godziny szczytu wsiadają w pociąg do Rosebank. Przenocują w mieszkaniu ciotki Annie: ta perspektywa wprawia chłopca w ponury nastrój.

Ciotka Annie nie ma lodówki. W spiżarce jest tylko kilka zwiędłych jabłek, zapleśniała połówka chleba i słoik pasty rybnej, do której matka odnosi się podejrzliwie. Wysyła go do hinduskiego sklepiku; na kolację jedzą chleb z dżemem, popijając herbatą.

Muszla klozetowa jest brunatna od brudu. Chłopcu przewraca się w żołądku na myśl o staruszce z długimi czarnymi paznokciami u palców stóp, która nad tym naczyniem kucała. Nie ma ochoty skorzystać z sedesu.

– Dlaczego musimy tu nocować? – pyta.

– Dlaczego musimy tu nocować? – powtarza jak echo młodszy brat.

– Dlatego – posępnym tonem mówi matka.

Ciotka Annie używa czterdziestowatowych żarówek, żeby oszczędzać prąd. W żółtym półmroku sypialni matka zaczyna pakować ubrania ciotki do tekturowych pudeł. Chłopiec jeszcze nigdy nie był w tym pokoju. Na ścianach wiszą oprawione fotografie mężczyzn i kobiet ze sztywnymi, nieprzystępnymi minami: Brecherów, du Bielów, jego przodków.

– Dlaczego ciotka Annie nie może zamieszkać z wujem Albertem?

– Dlatego, że Kitty nie dałaby sobie rady z opieką nad dwojgiem chorych staruszków.

– Nie chcę, żeby z nami mieszkała.

– Nie zamieszka z nami.

– No to gdzie zamieszka?

– Znajdziemy jej jakiś dom.

– Co to znaczy dom?

– Dom, dom, dom starców.

W mieszkaniu ciotki Annie chłopcu podoba się tylko składzik zawalony aż po sufit starymi gazetami i pudłami. Półki wypełnia jedna książka w wielu identycznych egzemplarzach: przysadzisty tomik w czerwonej okładce, którego gruby, szorstki papier (bo na takim wydaje się książki w języku afrykanerskim) przypomina bibułę do kleksów, naszpikowaną okruchami słomy i muszymi odchodami. Na grzbietach widnieje tytuł: *Ewige Genesing*; na stronach tytułowych ma on pełne brzmienie: *Deur 'n gevaarlike krankheid tot ewige genesing* – „Przez niebezpieczną chorobę do wiekuistego uzdrowienia". Książkę tę napisał pradziadek chłopca, ojciec ciotki Annie, która – jak głosi wielokrotnie powtarzana opowieść – poświęciła temu dziełu większość życia: przetłumaczyła je z niemieckiego na afrykanerski, przeznaczyła swoje oszczędności na to, żeby drukarz ze Stellenbosch sporządził setki egzemplarzy, a introligator oprawił część z nich, później zaś ruszyła w obchód po księgarniach w Kapsztadzie. Kiedy nie udało jej się namówić księgarzy, żeby zechcieli sprzedawać ten tytuł, sama zaczęła chodzić z książką po domach, pukając do kolejnych drzwi. Niesprzedane tomy stoją na półkach w składziku; w pudłach leżą nieoprawione stronice z wydrukowanym tekstem.

Chłopiec próbował czytać *Ewige Genesing*, ale zanadto go to nudziło. Ledwie Balthazar du Biel zdążył rozwinąć wątek swoich chłopięcych lat, które upłynęły mu w Niemczech, zaczął go przetykać długimi opisami świateł na niebie i rozwlekłymi cytatami z tego, co mu mówiły niebiańskie głosy. Cała książka jest chyba tak napisana: krótkie fragmenty autobiograficzne przeplatają się z długimi kwestiami niebiańskich głosów. Chłopiec i jego ojciec mają kilka wypróbowanych sposobów naigrawania się z ciotki Annie i z Balthazara du Biel. Sentencjonalnym, śpiewnym tonem *predikanta* intonują tytuł książki, przeciągając głoski: *Deur 'n gevaaarlike krannnnkheid tot eeeewige geneeeeesing.*

– Czy ojciec ciotki Annie był wariatem? – pyta chłopiec matkę.

– Tak, chyba był szalony.

– No to dlaczego ona wydała wszystkie pieniądze, żeby wydrukować jego książkę?

– Na pewno się go bała. To był okropny stary Niemiec, strasznie okrutny i władczy. Wszystkie jego dzieci się go bały.

– Ale wtedy przecież chyba już nie żył?

– Owszem, ale na pewno czuła, że jest mu to winna.

Matka nie chce krytykować ciotki Annie i jej poczucia obowiązku wobec szalonego starca.

W składziku najlepsza jest prasa do książek, zrobiona z żelaza, ciężkiego i solidnego jak koło lokomotywy. Chłopiec namawia brata, żeby włożył pod nią ręce, a następnie dokręca wielką śrubę, póki nie przyciśnie nią rąk braciszka tak, że ten nie będzie już mógł ich cofnąć. Potem zamieniają się miejscami i z kolei brat poddaje go tej samej operacji.

Jeszcze kilka obrotów, myśli chłopiec, i pękną kości. Co właściwie powstrzymuje ich obu przed dokręceniem śruby do końca?

Kilka miesięcy po przeprowadzce do Worcester zaproszono ich na jedną z farm zaopatrujących zakłady Standard Canners w owoce. Dorośli pili herbatę, a obaj chłopcy włóczyli się po podwórku. Kiedy natrafili na łuszczarkę do kukurydzy, namówił brata, żeby wsunął dłoń w lejek, do którego wrzucano kolby. Gdy młodszy posłuchał, starszy zakręcił korbą. Nim ją zatrzymał, przez chwilę czuł, jak maszyna miażdży drobne kostki palców. Brat stał z dłonią uwięzłą w łuszczarce, pobladły z bólu, ze zdumioną, pytającą miną.

Gospodarze czym prędzej zawieźli całą rodzinę do szpitala i lekarz amputował bratu połowę środkowego palca lewej ręki. Przez pewien czas brat chodził z zabandażowaną dłonią, z ręką na temblaku; potem nosił na kikucie czarny skórzany ochraniacz. Miał sześć lat. Nie skarżył się, chociaż nikt nie próbował mu wmawiać, że palec odrośnie.

Chłopiec nigdy nie przeprosił brata i ani razu nie czyniono mu wyrzutów za to, co zrobił. Wciąż jednak przytłacza go ciężar tego wspomnienia; pamięta miękki opór ciała i kości, a potem mielenie.

– Przynajmniej możesz być dumny, że masz w rodzinie kogoś, kto zrobił z własnego życia jakiś użytek, coś po sobie pozostawił – mówi matka.

– Powiedziałaś, że to był okropny staruch. Powiedziałaś, że był okrutny.

– Owszem, ale coś jednak zrobił z własnym życiem.

Balthazar du Biel na zdjęciu w sypialni ciotki Annie ma ponure, natarczywe spojrzenie i zaciśnięte, surowe usta. Żona wygląda przy nim na zmęczoną i niezadowoloną. Poznał ją – córkę innego misjonarza – kiedy przyjechał do Południowej Afryki nawracać pogan. Gdy wybrał się potem do Ameryki, żeby głosić Ewangelię, wziął ze sobą żonę i troje dzieci. Na parowcu płynącym po Missisipi jego córka Annie dostała od kogoś jabłko i przyszła z nim do ojca, żeby mu je pokazać. Spuścił jej lanie za to, że rozmawiała z nieznajomym. Chłopiec wie o Balthazarze tylko tyle, no i to, co zawiera niezgrabna czerwona książeczka, której jest na świecie dużo więcej egzemplarzy, niż ich światu potrzeba.

Troje dzieci Balthazara to Annie, Louisa – matka matki chłopca – i Albert, który na zdjęciach w sypialni ciotki Annie prezentuje się jako trwożny malec w marynarskim ubranku. Teraz jest już wujem Albertem, zgarbionym starcem; ma rozmiękłe białe ciało o konsystencji grzyba i bez przerwy dygocze, a kiedy chodzi, trzeba go podpierać. Właściwie nigdy nie zarabiał na życie. Po całych dniach pisał książki i opowiadania, a do pracy chodziła jego żona.

Chłopiec pyta matkę o książki wuja Alberta. Matka mówi, że jedną z nich czytała dawno temu, ale nic z niej nie pamięta.

– Są strasznie staroświeckie – stwierdza. – Ludzie dziś już takich nie czytają.

Chłopiec znajduje w składziku dwie z nich; wydrukowano je na tym samym grubym papierze co *Ewige Genesing*, ale mają brązowe okładki w odcieniu ławek ze stacji kolejowych. Tytuł jednej brzmi *Kain*, drugiej – *Die Sondes van die vaders*, *Grzechy ojców*.

– Mogę je sobie wziąć? – pyta matkę.

– Na pewno – odpowiada matka. – Nikt nie zauważy, że stąd zniknęły.

Chłopiec próbuje czytać *Die Sondes van die vaders*, ale udaje mu się dobrnąć tylko do dziesiątej strony: książka jest zbyt nudna.

Musisz kochać matkę i być dla niej oparciem. Chłopiec posępnie rozmyśla nad zaleceniami ciotki Annie. Kochać;

z niesmakiem obraca w ustach to słowo. Nawet matka oduczyła się mówić mu „kocham cię", chociaż czasem na dobranoc szepcze ukradkiem „kochanie".

Chłopiec nie widzi w miłości żadnego sensu. Kiedy w filmach mężczyźni całują się z kobietami, a w tle słychać ciche, soczyste dźwięki skrzypiec, skręca się na fotelu. Przysięga sobie, że nigdy nie będzie taki miękki, ckliwy.

Nie daje się całować; wyjątek robi tylko dla sióstr ojca, bo one tak przywykły i niczego więcej nie rozumieją. Całowanie jest częścią haraczu za wizyty na farmie: szybko muska ustami ich usta, które na szczęście zawsze są suche. W rodzinie matki nikt się nie całuje. Nigdy też nie widział, żeby rodzice naprawdę się całowali. Kiedy czasem przy ludziach muszą z takiego czy innego powodu zachowywać pozory, ojciec całuje matkę w policzek, który ona nadstawia niechętnie, gniewnie, jakby pod przymusem; pocałunek ojca jest lekki, szybki, nerwowy.

Tylko raz widział członek ojca – w roku 1945, tuż po jego powrocie z wojny, kiedy cała rodzina zebrała się w Voëlfontein. Ojciec wraz z dwoma braćmi poszedł na polowanie, zabierając ze sobą chłopca. Dzień był upalny; doszli do cysterny z wodą i postanowili popływać. Gdy zobaczył, że zamierzają kąpać się nago, próbował się wycofać, lecz go nie puścili. Byli w wesołym, żartobliwym nastroju; chcieli, żeby się rozebrał do naga i też popływał, ale stanął okoniem. Widział więc wszystkie trzy członki, a najwyraźniej z nich ojcowski – taki blady, że aż biały. Doskonale pamięta, jak burzył się przeciwko temu, że musi patrzeć.

Rodzice śpią osobno. Nigdy nie mieli wspólnego łóżka. Jedyne dwuosobowe łoże, jakie w życiu widział, stoi na farmie, w głównej sypialni, w której sypiali dziadek i babka. Dwuosobowe łóżka wydają mu się staroświeckie, uważa je za relikt epoki, kiedy żony rodziły rok w rok, jak owce albo maciory. Jest wdzięczny rodzicom, że dali sobie spokój z tymi sprawami, zanim się dowiedział, że ludzie w ogóle robią takie rzeczy.

Gotów jest uwierzyć, że dawno temu, w Victoria West, zanim się urodził, rodzice byli w sobie wzajemnie zakochani, bo miłość przecież stanowi chyba wstępny warunek małżeństwa. Zdają się o tym świadczyć pewne zdjęcia w albumie: choćby te, na których ojciec i matka siedzą tuż obok siebie podczas pikniku. Ale musiało się to skończyć przed wieloma laty, a jego zdaniem ta zmiana wyszła im tylko na dobre.

Jeśli idzie o własne emocje chłopca, nasuwa się pytanie, co jego zajadłe, gniewne uczucie do matki ma wspólnego z rozlewnymi omdleniami na ekranie. Matka go kocha, owszem; ale w tym właśnie sęk, właśnie to w jej stosunku do syna jest chore, niezdrowe. Jej miłość przejawia się głównie pod postacią czujności, nieustannej gotowości do tego, żeby skoczyć mu na ratunek, gdyby znalazł się w niebezpieczeństwie. Jeśliby tylko zechciał (ale nigdy nie zechce), mógłby oddać się matce pod opiekę i wozić się na niej przez resztę życia. Wie, że matka zawsze się o niego zatroszczy, i właśnie dlatego ma się przed nią na baczności, ani na chwilę się nie odpręża, nie daje jej cienia szansy.

Pragnie umknąć spod czujnego matczynego oka. Może będzie musiał kiedyś w tym celu jej się postawić, odtrącić ją tak brutalnie, że matka, chcąc nie chcąc, wycofa się i nareszcie zwróci mu wolność. Ilekroć jednak chłopiec myśli o tej chwili, wyobraża sobie zdziwione spojrzenie matki i czuje jej ból, natychmiast zalewa go fala wyrzutów sumienia. Gotów jest wtedy zrobić wszystko, byle tylko złagodzić zadany cios: pocieszyć ją, obiecać, że nie odejdzie.

Kiedy czuje jej ból, i to tak dotkliwie, jakby byli ze sobą zrośnięci, wie, że tkwi w pułapce bez wyjścia. Czyja to wina? Chłopiec obwinia matkę, jest na nią zły, lecz zarazem wstydzi się własnej niewdzięczności. Właśnie tym naprawdę jest miłość: klatką, z której on sam już to się wyrywa, już to z powrotem do niej wpada, i tak w kółko, jak nieszczęsny otumaniony pawian. Co może wiedzieć o miłości niedoinformowana, niewinna ciotka Annie? Chłopiec wie o świecie tysiąc razy więcej niż ona, która całe życie przepracowała jak niewolnica w służbie szalonych rękopisów ojca. A on serce ma stare, mroczne i twarde, serce z kamienia. Oto jego haniebny sekret.

Rozdział piętnasty

Matka przez rok studiowała na uniwersytecie, zanim musiała ustąpić miejsca młodszym braciom. Ojciec jest dyplomowanym prawnikiem; w Standard Canners pracuje wyłącznie dlatego, że – według matki – otworzenie kancelarii kosztowałoby więcej pieniędzy, niż rodzice w ogóle mają. Chłopiec nie może im darować, że nie dopilnowali, aby wyrósł na normalne dziecko, ale ich wykształcenie napawa go dumą.

Ponieważ w domu rozmawiają po angielsku, a on z angielskiego zawsze jest najlepszy w klasie, uważa się za Anglika. Nosi wprawdzie afrykanerskie nazwisko, jego ojciec ma w sobie więcej z Bura niż z Brytyjczyka, a on sam mówi po afrykanersku bez odrobiny angielskiego akcentu, ale nikt ani przez moment nie wziąłby go za Afrykanera. Afrykanerskim włada jedynie w wąskim, wątłym zakresie; istnieje cały gęsty świat slangu i aluzji, którymi posługują się prawdziwi mali Afrykanerzy; świntuszenie stanowi zaledwie ułamek tej niedostępnej mu sfery.

Burowie mają też pewien wspólny sposób bycia: jest to swojego rodzaju gburowatość, nieustępliwość, wyraźnie zwiastująca groźbę fizycznej przemocy (chłopcu ci ludzie kojarzą się z nosorożcami, zwalistymi, żylastymi olbrzymami, które potrącają się z łoskotem, ilekroć się mijają);

on sam nie tylko jest pozbawiony tych cech, ale wręcz się ich boi. Afrykanerzy traktują swój język jak maczugę, oręż przeciwko wrogom. Kiedy spotyka się kilku z nich na ulicy, lepiej ich ominąć; zresztą nawet w pojedynkę sprawiają wrażenie groźnych wojowników. Gdy rano wszystkie klasy ustawiają się na dziedzińcu, chłopiec czasem omiata wzrokiem szeregi Afrykanerów, szukając wśród nich kogoś, kto różniłby się od pozostałych, miałby w sobie odrobinę miękkości; ale nie znajduje nikogo takiego. Nie mieści mu się w głowie, że mógłby kiedyś zostać wtrącony między nich: zmiażdżyliby go, zabiliby w nim ducha.

A jednak ku własnemu zdziwieniu wcale nie ma ochoty wyrzec się języka afrykanerskiego i oddać go im. Pamięta swoją pierwszą wizytę w Voëlfontein: miał cztery albo pięć lat i w ogóle nie mówił po afrykanersku. Jego brata, który był jeszcze wtedy maluchem, dla ochrony przed słońcem przez cały czas trzymano w domu; bawić się można było tylko z dziećmi Mulatów. Robił z nimi łódeczki ze strąków i puszczał je w rowach nawadniających. Był jednak jak jakieś nieme stworzenie: wszystko musiał pokazywać na migi; chwilami czuł, że to, czego nie potrafi wysłowić, zaraz go rozsadzi. Aż tu pewnego dnia raptem otworzył usta i stwierdził, że umie mówić – z łatwością, płynnie, bez zastanowienia. Pamięta jeszcze, jak wpadł do pokoju, w którym siedziała matka, i zawołał:

– Słuchaj! Umiem mówić po bursku!

Kiedy mówi w tym języku, wszystkie życiowe komplikacje jakby znikają. Afrykanerski wszędzie mu towarzyszy niczym widmowa opończa, w którą w każdej chwili można się wślizgnąć, natychmiast stając się kimś innym – prostszym, weselszym, o lżejszym chodzie.

Anglicy mają jedną cechę, którą jest rozczarowany i której nie chce naśladować: gardzą językiem afrykanerskim.

Kiedy unoszą brwi i z wyższością przekręcają afrykanerskie wyrazy, jak gdyby wymawianie słowa veld przez „w" dowodziło szlachetnego urodzenia, odsuwa się od nich: tkwią w błędzie, a co gorsza – sami się ośmieszają. Nie idzie w tej sprawie na żadne ustępstwa, nawet kiedy jest wśród Anglików: mówi po afrykanersku poprawnie, nie zniekształcając twardych spółgłosek ani trudnych samogłosek.

Do jego klasy chodzi jeszcze paru chłopców o burskich nazwiskach. Za to w klasach afrykanerskich żaden uczeń nie nazywa się z angielska. Podobno w jednej ze starszych klas jest pewien Bur, którego nazwisko brzmi Smith, ale równie dobrze mógłby nazywać się Smit; to jedyny wyjątek. Smutne zjawisko, ale skądinąd zrozumiałe, bo który Anglik chciałby ożenić się z Afrykanerką i założyć afrykanerską rodzinę, skoro burskie kobiety są albo wielgachne i tłuste, z pękatymi piersiami i ropuszymi szyjami, albo kościste i niekształtne?

Chłopiec dziękuje Bogu za to, że jego matka mówi po angielsku. Wciąż jednak nie dowierza ojcu, choć ten wielbi Szekspira i Wordswortha, a w „Cape Times" rozwiązuje krzyżówki. Syn nie rozumie, czemu ojciec dalej sili się na angielskość, chociaż po przeprowadzce do Worcester z łatwością mógłby z powrotem stać się Afrykanerem. Dzieciństwo w Prince Albert, o którym Coetzee senior czasem żartobliwie rozmawia z braćmi w obecności syna, w odczuciu tego ostatniego niczym się nie różni od życia Afrykanerów z Worcester. Tak samo obecne są w nim chłosta i nagość, czynności fizjologiczne wykonywane na oczach innych chłopców, zwierzęcy brak potrzeby dyskrecji.

Wzdryga się na myśl, że można by go gwałtem przemienić w małego bosonogiego Afrykanera z ogoloną głową. Czułby się wtedy, jakby go skazano na więzienie, na życie całkowicie pozbawione dyskrecji. A on nie potrafi bez niej żyć. Gdyby był Afrykanerem, musiałby wszystkie minuty wszystkich dni i nocy spędzać w ludzkim towarzystwie. Ta perspektywa wydaje mu się nieznośna.

Pamięta trzydniowy obóz skautów, swoją ówczesną udrękę, nieustannie udaremniane pragnienie, żeby wślizgnąć się z powrotem do namiotu i w samotności poczytać książkę.

Pewnej soboty ojciec wysyła go po papierosy. Chłopiec może pojechać na rowerze aż do śródmieścia (tam gdzie są prawdziwe sklepy z witrynami i kasami) albo pójść do burskiego sklepiku przy przejeździe kolejowym; ten sklepik to właściwie tylko pokój na tyłach czyjegoś domu, z ladą pomalowaną na ciemny brąz i prawie pustymi półkami. Wybiera bliższy wariant.

Jest upalne popołudnie. W sklepie zwisają z sufitu lepy i roi się od owadów. Chłopiec ma właśnie powiedzieć młodemu sprzedawcy – Burowi trochę tylko starszemu niż on sam – że prosi o dwadzieścia springboków bez filtru, gdy wtem wpada mu do ust mucha. Z obrzydzeniem ją wypluwa. Mucha leży przed nim na ladzie, usiłując się wygramolić z kałuży śliny.

– *Sies!* – mówi jeden z klientów.

Chłopiec burzy się w duchu: A niby co miałem zrobić? Nie wypluć jej, tylko połknąć? Przecież jestem jeszcze mały! Ale ci bezlitośni ludzie za nic mają wszelkie wyjaśnienia. Dłonią ściera z lady ślinę i wśród karcącego milczenia płaci za papierosy.

Wspominając, jak to dawniej bywało na farmie, ojciec i stryjowie znów przywołują postać dziadka.

– *'n Ware ou jintlman!* – mówią o nim. – Prawdziwy stary dżentelmen – powtarzają na użytek chłopca, dodając ze śmiechem: – *Dis wat hy op sy grafsteen sou gewens het*. Farmer i dżentelmen. Taki napis chciałby mieć na nagrobku.

Najbardziej śmieszy ich to, że dziadek nadal chodził w butach do konnej jazdy, gdy wszyscy na farmie nosili już wygodne człapaki zwane *velskoen*.

Słuchając ich rozmowy, matka wzgardliwie prycha.

– Nie zapominajcie, jaki mores przed nim czuliście – mówi. – Baliście się zapalić przy nim papierosa, chociaż dawno już byliście dorośli.

Zbija ich to z pantałyku; milczą, nie znajdując odpowiedzi: widocznie trafiła w czuły punkt.

Dziadek (ten z pretensjami do wielkopańskości) prócz farmy miał niegdyś połowę udziałów hotelu i sklep wielobranżowy we Fraserburg Road oraz dom w Merweville, a przed domem maszt, na który w każde urodziny króla wciągał angielską flagę.

– *'n Ware ou jintlman en 'n ware ou jingo!* Prawdziwy stary szowinista! – dodają bracia. I znowu wybuchają śmiechem.

Matka słusznie ich ocenia. Zachowują się jak dzieci pyskujące za plecami któregoś z rodziców. Jakie zresztą mają prawo wyśmiewać się ze swojego ojca? Gdyby nie on, w ogóle nie znaliby angielskiego: byliby tacy jak ich sąsiedzi, jacyś Bote czy Nigrini – głupi i ociężali, potrafiący rozmawiać wyłącznie o owcach i pogodzie. Za to kiedy zbiera się rodzina Coetzee, wszyscy paplają, żartują i śmieją się, mówiąc mieszanką języków; a gdy przychodzą z wizytą państwo Nigrini lub Bote, natychmiast robi się posępnie, ciężko i nudno.

– *Ja-nee* – wzdychają Bote'owie.

– *Ja-nee* – powtarzają gospodarze, modląc się, żeby goście jak najprędzej sobie poszli.

A on? Skoro dziadek, którego uwielbia, był szowinistą, czy to samo da się powiedzieć o nim? Czy dziecko w ogóle można posądzić o szowinizm? Staje na baczność, kiedy w bioskopie grają *God Save the King*, a na ekranie powiewa brytyjska flaga. Przy dźwiękach kobz dreszcz przebiega mu po krzyżu, podobnie jak wtedy gdy słyszy słowa „nieustraszony" i „mężny". Czy to swoje przywiązanie do Anglii powinien zachować w tajemnicy?

Nie rozumie, czemu tyle osób z jego otoczenia nie lubi Anglii. Przecież Anglia to Dunkierka i bitwa o Anglię. Anglia to wypełnianie obowiązku i godzenie się z własnym losem w milczeniu, bez grymasów. Anglia to ten chłopiec, który podczas bitwy u wybrzeży Jutlandii wytrwał na stanowisku, chociaż pokład płonął mu pod stopami. Anglia to sir Lancelot, Ryszard Lwie Serce oraz Robin Hood zbrojny w cisowy łuk i odziany w zielone sukno. Co mogą temu przeciwstawić Afrykanerzy? Dirkiego Uysa, który zajeździł konia na śmierć. Pieta Retiefa, którego Dingaan wystrychnął na dudka. I Voortrekkerów, którzy z zemsty wystrzelali tysiące Zulusów uzbrojonych w dzidy i łuki, i jeszcze są z tego dumni.

W Worcester jest kościół anglikański, a w nim siwowłosy duchowny z fajką, pełniący także funkcję drużynowego skautów, o którym ten i ów spośród angielskich kolegów z klasy (prawdziwych małych Anglików, noszących angielskie nazwiska i mieszkających w starej, zadrzewionej części Worcester) poufale mówi „*padre*". Kiedy Anglicy rozmawiają tym tonem, chłopiec milknie. Istnieje coś takiego jak język angielski, i on tym językiem swobodnie włada. Istnieje Anglia i wszystkie kojarzące się z nią wartości, a on ma wrażenie, że dochowuje im wiary. Lecz najwidoczniej potrzeba czegoś więcej, żeby zostać uznanym za prawdziwego Anglika: należy sprostać pewnym próbom, on zaś wie, że niektórych z nich nigdy nie przejdzie pomyślnie.

Rozdział szesnasty

Coś uzgodniono przez telefon, a on nie wie wprawdzie co konkretnie, ale jest zaniepokojony. Nie podoba mu się zadowolony, tajemniczy uśmiech matki, który oznacza, że znowu wtrąciła się w jego sprawy.

Są to ich ostatnie dni przed wyprowadzką z Worcester. Są to zarazem najlepsze dni z całego roku szkolnego: jest już po egzaminach i nie ma nic więcej do roboty, trzeba jeszcze tylko pomóc nauczycielowi wpisać stopnie do dzienniczka.

Pan Gouws odczytuje wykazy stopni; chłopcy dodają je, sumując oceny z kolejnych przedmiotów, a potem obliczają procenty, ścigając się, kto pierwszy podniesie rękę. Zabawa polega na zgadywaniu, które oceny są czyje. Chłopiec zazwyczaj potrafi rozpoznać swoje stopnie: te z arytmetyki sięgają dziewięćdziesięciu, a nawet stu procent, podczas gdy z historii i z geografii dostaje najwyżej siedemdziesiąt parę.

Słabo sobie radzi z historią i geografią, bo nienawidzi wkuwania na pamięć. Tak bardzo tego nie cierpi, że z nauką tych przedmiotów zwleka do ostatniej chwili, zostawiając ją na ostatni wieczór albo nawet ranek tuż przed egzaminami. Wstrętny mu jest sam widok podręcznika do historii w sztywnej czekoladowej okładce, zawierającego

147

długie, nudne wykazy przyczyn rozmaitych zjawisk (wojen napoleońskich albo Wielkiego Marszu). Autorzy nazywają się Taljaard i Schoeman. Chłopiec wyobraża sobie, że Taljaard jest chudy i suchy, a Schoeman pulchny, podłysiały i w okularach; siedząc naprzeciw siebie przy stole w pewnym pokoju w Paarl, zapisują całe stronice śledzienniczymi wykładami i podają je sobie ponad blatem. Nie pojmuje, czemu postanowili napisać tę książkę po angielsku; pewnie chcieli dać nauczkę dzieciom tych, o których mówią *Engelse*.

Geografia nie jest ani trochę lepsza: nic tylko wykazy miast, rzek, produktów. Kiedy nauczyciel każe wyliczyć produkty jakiegoś kraju, chłopiec na końcu zawsze wymienia skórę i jucht, mając nadzieję, że trafił. Ani on, ani nikt inny nie wie, czym różni się skóra od juchtu.

Pozostałych egzaminów też nie wyczekuje z utęsknieniem, lecz gdy nadchodzą, chętnie rzuca się w ich wir. Dobrze sobie na nich radzi; gdyby nie istniały, nie miałby gdzie się odznaczyć i niczym szczególnym by się nie wyróżniał. Egzaminy uderzają mu do głowy, wprawiając go w rozedrgane podniecenie; pisze wtedy szybko i pewnie. Nie przepada za tym stanem jako takim, ale dodaje mu otuchy świadomość, że w razie czego może sięgnąć do tego rodzaju rezerw. Uderzając kamieniem o kamień i biorąc wdech, potrafi niekiedy odtworzyć ten stan, ten zapach, ten smak: proch strzelniczy, żelazo, żar, równomierny tętent krwi.

Zagadka rozmowy telefonicznej i uśmiechu matki rozwiązuje się, gdy podczas jednej z porannych pauz pan Gouws gestem każe mu zostać w klasie. Pana Gouwsa otacza aura fałszu, życzliwości, która nie budzi w chłopcu zaufania.

Pan Gouws zaprasza go do siebie na podwieczorek. Chłopiec tępo kiwa głową i zapamiętuje adres.

148

Wcale nie ma ochoty na tę wizytę. Nie żeby nie lubił pana Gouwsa. Jeśli nie ufa mu tak, jak w czwartej klasie ufał pani Sanderson, to tylko dlatego że pan Gouws jest mężczyzną, pierwszym w jego życiu nauczycielem płci męskiej, a on ma się na baczności przed tym czymś, co bije od wszystkich mężczyzn: niepokojem, ledwie powściąganą szorstkością budzącą podejrzenie, że okrucieństwo sprawia im przyjemność. Nie wie, jak się zachować wobec pana Gouwsa ani wobec żadnego innego mężczyzny: zrezygnować z wszelkiego oporu i zabiegać o aprobatę, czy schronić się za barierą sztywności. Z kobietami idzie mu łatwiej, bo one są łagodniejsze. Ale skądinąd trudno sobie wyobrazić człowieka sprawiedliwszego niż pan Gouws. Nauczyciel swobodnie włada angielskim i raczej nie jest uprzedzony do Anglików ani do uczniów z afrykanerskich rodzin, którzy wolą być Anglikami. Podczas jednej z licznych nieobecności chłopca w szkole uczył analizy składniowej dopełnień. Akurat w tej sprawie chłopiec nie bardzo umie nadążyć za resztą klasy. Gdyby dopełnienia były równie nonsensowne jak idiomy, pozostali uczniowie też mieliby z nimi kłopoty. Ale większość kolegów bez widocznych problemów radzi sobie z dopełnieniami. Nasuwa się nieodparty wniosek, że pan Gouws wie o gramatyce angielskiej coś, czego chłopiec dotąd nie zgłębił.

Pan Gouws sięga po trzcinę nie rzadziej niż pozostali nauczyciele. Najchętniej jednak stosuje inną karę: ilekroć uczniowie zanadto i zbyt długo hałasują, każe im odłożyć pióra, zamknąć książki, spleść dłonie na karkach, spuścić powieki i siedzieć w zupełnym bezruchu.

W klasie zapada bezwzględna cisza, zakłócana jedynie odgłosem kroków pana Gouwsa, który maszeruje między rzędami ławek. W koronach rosnących wokół dziedzińca eukaliptusów kojąco gruchają gołębie. Chłopiec mógłby znosić tę karę bez końca, z niezmąconym spokojem, słu-chając gruchania gołębi i cichego oddechu kolegów.

Disa Road – ulica pana Gouwsa – także leży w Reunion Park: w nowej, północnej części osiedla, której chłopiec jak dotąd nie zdążył zwiedzić. Nie dość, że pan Gouws mieszka w Reunion Park i jeździ do szkoły na rowerze z grubymi oponami, to w dodatku ma żonę (śniadą ko-bietę pospolitej urody), a co jeszcze dziwniejsze – dwój-kę małych dzieci. Chłopiec dowiaduje się o tym wszyst-kim, siedząc w salonie pod numerem jedenastym na Disa Road, przy stole, na którym czekają słodkie babeczki i im-bryk z herbatą; tak jak się obawiał, jest sam na sam z pa-nem Gouwsem i musi prowadzić karkołomną, sztuczną rozmowę.

Robi się coraz gorzej. Pan Gouws tym razem nie włożył marynarki ani krawata, tylko szorty oraz skarpetki koloru khaki i udaje, że skoro rok szkolny dobiegł końca, a chło-piec ma wkrótce wyjechać z Worcester, mogą się nareszcie zaprzyjaźnić. Próbuje nawet sugerować, jakoby przyjaźni-li się od początku roku: nauczyciel i najzdolniejszy uczeń, pierwszy w klasie.

Chłopiec denerwuje się i sztywnieje. Kiedy pan Gouws częstuje go drugą babeczką, odmawia.

– No, jedz! – mówi nauczyciel i z uśmiechem kładzie mu jednak babeczkę na talerzu. Chłopiec najchętniej by już sobie poszedł.

Chciał wyjechać z Worcester, zostawiając wszystko po-układane. Gotów był wyznaczyć panu Gouwsowi miejsce w swojej pamięci obok pani Sanderson: nie całkiem na równi z nią, ale blisko. A teraz pan Gouws mu to psuje. Chłopiec wolałby, żeby nauczyciel tego nie robił.

Druga babeczka leży na talerzu nietknięta. Chłopiec nie chce już więcej udawać: milknie i zacina się w sobie.

– Musisz już iść? – pyta pan Gouws.

Chłopiec kiwa głową. Pan Gouws wstaje i odprowadza go do furtki, identycznej jak furtka pod numerem dwunastym na Poplar Avenue; jej zawiasy wydają dokładnie taki sam przenikliwy jęk.

Pan Gouws ma przynajmniej dość rozumu, żeby nie wciągać chłopca w podawanie rąk ani żadne inne głupie gesty.

Decyzja o wyprowadzce z Worcester wiąże się z zakładami Standard Canners. Ojciec uznał, że nie widzi dla siebie przyszłości w firmie, która według niego chyli się ku upadkowi. Postanowił wznowić praktykę prawniczą.

W biurze wydają na jego cześć przyjęcie, z którego wraca obdarowany nowym zegarkiem. Wkrótce potem wyrusza w pojedynkę do Kapsztadu, pozostawiając matce nadzór nad przeprowadzką. Matka wynajmuje firmę transportową niejakiego Retiefa, który godzi się za piętnaście funtów nie tylko przewieźć meble, lecz także zmieścić w szoferce ją samą z dwójką dzieci.

Ludzie Retiefa ładują rzeczy na ciężarówkę, a potem wsiada matka z młodszym synem. Starszy po raz ostatni przebiega przez opustoszały dom, żeby się z nim pożegnać. Za drzwiami wejściowymi znajduje stojak na parasole, z którego zwykle sterczały dwa kije do golfa i laska, ale teraz jest pusty.

– Nie załadowali stojaka! – krzyczy chłopiec.

– Chodź! – woła go matka. – Nie zawracaj sobie głowy tym starym gratem!

– Nie! – odpowiada syn, upierając się, że nie wsiądzie, póki tragarze nie wrócą po stojak.

– *Dis net 'n ou stuk pyp* – zrzędzi Retief. – Przecież to tylko kawał starej rury.

Rzekomy stojak na parasole okazuje się więc tylko kawałkiem betonowej rury ściekowej, którą matka przyniosła kiedyś do domu i pomalowała na zielono. Zabierają tę rurę do Kapsztadu, a razem z nią poduszkę, która jest cała oblepiona psią sierścią, bo sypiał na niej niegdyś Kozak, zwój siatki z dawnego ogrodzenia kurnika, maszynę do miotania krykietowych piłek i drewniany kij z alfabetem Morse'a. Gdy ciężarówka Retiefa mozolnie pnie się pod górę drogą Bainsa, chłopiec czuje się trochę jak w arce Noego wiozącej ku ocaleniu rozmaite klamoty i rupiecie – rekwizyty dotychczasowego życia.

W Reunion Park płacili za dom dwanaście funtów miesięcznie. Ten, który ojciec wynajął w Plumstead, kosztuje dwadzieścia pięć funtów. Stoi na samym skraju Plumstead; z okien otwiera się widok na piaszczyste pustkowie i akacjowe chaszcze, w których zaledwie tydzień po ich przyjeździe policja znalazła martwe niemowlę zawinięte w beżowy papier. O pół godziny drogi piechotą w przeciwną stronę leży stacja kolejowa Plumstead. Dom jest nowy, podobnie jak wszystkie inne domy przy Evremonde Road, z panoramicznymi oknami i parkietem. Drzwi są wypaczone, zamki się nie zamykają, a na podwórku za domem piętrzy się kupa gruzu.

W sąsiednim domu mieszka para, która dopiero co przyjechała z Anglii. Mężczyzna wiecznie myje samochód, a kobieta w czerwonych szortach i ciemnych okularach całymi dniami wyleguje się na leżaku, opalając sobie długie białe nogi.

Najpierw trzeba umieścić w szkołach obu synów. W Kapsztadzie nie jest tak jak w Worcester, gdzie wszyscy chłopcy chodzili do szkoły męskiej, a wszystkie dziewczynki – do żeńskiej. W Kapsztadzie istnieje duży wybór szkół. Ale żeby się dostać do dobrej, należy mieć koneksje, a oni mają ich niewiele.

Dzięki wstawiennictwu wuja Lance'a idą na wstępną rozmowę do męskiego liceum na przedmieściu Rondebosch. Schludnie ubrany w szorty, koszulę z krawatem i granatowy blezer, który na górnej kieszeni ma godło podstawowej szkoły dla chłopców w Worcester, starszy z braci siedzi z matką na ławce przed wejściem do gabinetu dyrektora. Kiedy przychodzi ich kolej, zostają zaproszeni do pokoju z boazerią udekorowanego zdjęciami drużyn rugbistów i krykiecistów. Dyrektor zadaje pytania wyłącznie matce: gdzie mieszkają, co robi ojciec chłopca. Aż wreszcie nadchodzi wyczekiwana chwila: matka wyjmuje z torebki świadectwo, które dowodzi, że jej syn był prymusem, powinno więc otworzyć przed nim wszystkie drzwi.

Dyrektor wkłada okulary do czytania.

– Czyli byłeś najlepszy w klasie – mówi. – Znakomicie! Ale tutaj nie pójdzie ci tak łatwo.

Miał nadzieję, że poddadzą go sprawdzianowi, spytają o datę bitwy nad Blood River albo (co byłoby jeszcze lepsze) każą rozwiązać w pamięci jakieś zadanie arytmetyczne. Ale rozmowa już się skończyła.

– Niczego nie mogę obiecać – oświadcza dyrektor. – Wpiszemy chłopca na listę oczekujących i pozostanie nadzieja, że ktoś zrezygnuje.

Wpisują go na listę oczekujących w trzech szkołach: bez powodzenia. To, że był prymusem w Worcester, w Kapsztadzie najwidoczniej nie wystarcza.

Ostatnią nadzieją jest katolicka szkoła pod wezwaniem Świętego Józefa. Nie ma tam listy oczekujących: Święty Józef przyjmie wszystkich, którzy gotowi są płacić wymagane czesne, czyli w wypadku niekatolików dwanaście funtów za każdy z czterech okresów.

Otoczenie stopniowo uzmysławia chłopcu i jego matce, że w Kapsztadzie różne kategorie ludzi chodzą do różnych szkół. Święty Józef obsługuje kategorię może nie najniższą, ale w najlepszym razie drugą od końca. Matka jest rozgoryczona, że nie zdołała umieścić syna w lepszej szkole, ale on się nie przejmuje. Nie bardzo wie, do jakiej kategorii należy jego rodzina i gdzie jest jej miejsce. Chwilowo wystarcza mu to, że jako tako sobie radzi. Oddaliła się groźba zesłania do afrykanerskiej szkoły i wtłoczenia w wąskie ramy burskiego stylu życia, a reszta go nie obchodzi. Może się odprężyć. Już nawet nie musi dalej udawać katolika.

Prawdziwi Anglicy nie chodzą do jakiegoś tam Świętego Józefa. Lecz chłopiec codziennie ich widuje na ulicach Rondebosch, gdy idą do swoich szkół lub z nich wracają, napawa się widokiem ich prostych włosów blond i złocistej cery, nigdy za ciasnych ani zbyt obszernych ubrań, podziwia spokojną pewność siebie. Wzajemnie sobie dopiekają (zna to słowo z przeczytanych opowiadań o prywatnych szkołach), ale robią to z niewymuszoną swobodą, bez wrzasków i niezręczności, do jakich przywykł. Nie pragnie stać się jednym z nich, lecz im się przygląda i próbuje przy okazji czegoś się nauczyć.

Uczniowie Kolegium Diecezjalnego – najbardziej angielscy ze wszystkich – nie raczą nawet grać w rugby ani w krykieta z tymi od Świętego Józefa i mieszkają w elitarnych dzielnicach, które leżą z dala od linii kolejowej, więc chłopiec zna tylko ich nazwy: Bishopscourt, Fernwood, Constantia. Dobrotliwie czuwają nad swoimi siostrami – uczennicami takich szkół, jak Herschel lub Święty Cyprian. W Worcester rzadko widywał dziewczynki: wszyscy jego koledzy mieli braci, a sióstr nie miał chyba żaden. I oto po raz pierwszy w życiu zdarza mu się przelotnie spotykać siostry Anglików – złociste blondynki, tak piękne, że bierze je za nieziemskie istoty.

Jeśli chce zdążyć do szkoły na pół do dziewiątej, musi wyjść z domu przed siódmą trzydzieści: ma dzięki temu dość czasu na półgodzinny marsz do stacji, kwadrans jazdy pociągiem, pięć minut piechotą z dworca do szkoły i jeszcze dziesięć w rezerwie, bo a nuż pociąg się spóźni. Ale boi się, że mimo wszystko nie zdąży w porę, więc wychodzi o siódmej, a o ósmej jest już w szkole. Może wejść do klasy, której drzwi woźny przed chwilą otworzył kluczem, usiąść w ławce, oprzeć głowę na rękach ułożonych na pulpicie i czekać.

W nocy miewa koszmarne sny, w których błędnie odczytuje godzinę z zegarka, spóźnia się na pociąg, skręca nie w tę ulicę, co trzeba. Kiedy śni mu się coś takiego, płacze z bezsilnej rozpaczy.

Przed nim przychodzą do szkoły tylko bracia De Freitas, których ojciec ma sklep warzywny, więc bladym świtem podwozi ich rozklekotaną niebieską ciężarówką, jadąc na targ w Salt River.

Nauczyciele ze Świętego Józefa należą do zakonu marian. Odziani w surowe czarne habity z białymi krochmalonymi plastronami braciszkowie wydają się chłopcu zupełnie wyjątkowymi ludźmi. Otaczająca ich zagadkowa aura robi na nim wielkie wrażenie: zagadką jest to, skąd przybyli, zagadką pozostają też imiona, których się wyrzekli. Nie lubi, kiedy brat Augustyn, który trenuje krykiecistów, przychodzi na zajęcia w białej koszuli, czarnych spodniach i wysokich butach do krykieta, jakby był kimś zupełnie zwyczajnym. Najbardziej nie podoba mu się to, że ilekroć trener ma stanąć na pozycji pałkarza, wkłada sobie w spodnie ochraniacz, tak zwaną puszkę.

Chłopiec nie wie, co robią braciszkowie, kiedy akurat nie prowadzą lekcji. Do skrzydła budynku, w którym sypiają, jadają i w ogóle żyją swoim prywatnym życiem, uczniom nie wolno wchodzić; wcale zresztą nie pragnie się tam wedrzeć. Najchętniej trwałby w przekonaniu, że marianie wiodą surowy żywot: wstają o czwartej rano, godzinami się modlą, są wstrzemięźliwi w jedzeniu i sami sobie cerują skarpetki. Kiedy postępują niewłaściwie, stara się jak tylko może znaleźć dla nich usprawiedliwienie. Na przykład gdy bratu Aleksowi, temu nieogolonemu tłuściochowi, zdarza się ordynarnie zepsuć powietrze i zasnąć na lekcji afrykanerskiego, tłumaczy sobie, że brat Aleks jest człowiekiem inteligentnym, który zniża się do tego, żeby uczyć w szkole. A kiedy brat Jean-Pierre zostaje nagle odsunięty od dyżurów w dormitorium uczniów z młodszych klas i zaczynają krążyć plotki, jakoby wyczyniał z malcami jakieś dziwne rzeczy, chłopiec po prostu wymazuje te pogłoski z pamięci. Nie mieści mu się w głowie, że braciszkowie mogą nie tylko doznawać seksualnych pokus, ale też im ulegać.

Prowadzenie lekcji angielskiego powierzono świeckiemu katolikowi, bo tylko nieliczni braciszkowie znajomość tego języka wynieśli z rodzinnego domu. Pan Whelan jest Irlandczykiem: nienawidzi Anglików i prawie się nie kryje ze swoją niechęcią do protestantów. Wcale się też nie stara poprawnie wymawiać burskich nazwisk: cedzi je z niesmakiem, jakby to był jakiś pogański bełkot.

Na lekcjach angielskiego większość czasu poświęca się *Juliuszowi Cezarowi* Szekspira; pan Whelan każe chłopcom czytać tę sztukę na głos, z podziałem na role. Robią też ćwiczenia z podręcznika gramatyki, a raz w tygodniu piszą klasówkę. Mają na to pół godziny; przez pozostałe dziesięć minut nauczyciel czyta i ocenia wszystkie wypracowania, bo nie uznaje zabierania pracy do domu. Te dziesięciominutowe sesje stawiania stopni stały się jednym z jego *pièces de résistance*, które chłopcy obserwują, uśmiechając się z podziwem. Pan Whelan z niebieskim ołówkiem w ręku przegląda stertę wypracowań. Kiedy kończy popis, zgarnia zeszyty jak talię kart i wręcza dyżurnemu, żeby je rozdał uczniom, rozlegają się dyskretne, ironiczne brawa.

Pan Whelan ma na imię Terence. Nosi szoferską kurtkę z brązowej skóry i kapelusz, którego w chłodne dni nie zdejmuje nawet w klasie. Zaciera blade dłonie, żeby je rozgrzać; ma bezkrwistą twarz nieboszczyka. Nie bardzo wiadomo, skąd się wziął w Południowej Afryce, czemu nie mieszka w Irlandii. Najwidoczniej nie podoba mu się ani Południowa Afryka, ani nic, co się w niej dzieje.

Chłopiec pisze na polecenie pana Whelana wypracowania o postaci Marka Antoniusza, o postaci Brutusa, o bezpieczeństwie na drogach, o sporcie i przyrodzie. Większość tych klasówek to nudne, mechaniczne tekściła; czasem jednak w trakcie pisania zdarza mu się poczuć dreszcz podniecenia, a wtedy pióro zaczyna frunąć po stronicy. W jednym z wypracowań chłopca pewien rozbójnik czyha w ukryciu przy drodze. Jego koń cicho parska, buchając z nozdrzy parą, która rozwiewa się w zimnym nocnym powietrzu. Promień księżyca niczym klinga przecina twarz rozbójnika, który trzyma pistolet pod połą kurtki, żeby proch nie zamókł.

Rozbójnik nie robi wrażenia na panu Whelanie. Nauczyciel przebiega jasnookim spojrzeniem stronicę, zanim ołówkiem postawi stopień: szóstkę z plusem. Chłopiec prawie zawsze dostaje za swoje wypracowania tę właśnie ocenę; nigdy nie przekracza siódemki. Chłopcy o angielskich nazwiskach dostają siedem z plusem albo osiem.

Niejaki Theo Stavropoulos pomimo śmiesznego nazwiska ma same ósemki, bo dobrze się ubiera i chodzi na lekcje wymowy. To jemu zawsze przypada w udziale rola Marka Antoniusza, ma więc okazję przeczytać najsłynniejszy monolog z całej sztuki, zaczynający się od słów: „Przyjaciele, Rzymianie, rodacy, zechciejcie mnie wysłuchać".

W Worcester chłopiec chodził do szkoły z obawą, lecz zarazem z radosnym podnieceniem. Owszem, w każdej chwili mógł zostać zdemaskowany jako kłamca i ponieść straszliwe konsekwencje. Ale szkoła go fascynowała: wydawało mu się, że nie ma dnia, żeby się nie dowiedział czegoś ważnego o okrucieństwie, bólu i nienawiści, które szaleją pod powierzchnią codzienności. Wiedział, że dzieją się rzeczy złe, wręcz niedopuszczalne; był za mały, zbyt dziecinny i kruchy na to, co kazano mu znosić. Pochłaniała go jednak namiętność i furia tamtych dni; był w szoku, a jednocześnie pragnął widzieć jak najwięcej, zobaczyć wszystko, co się da.

Za to w Kapsztadzie szybko stwierdza, że marnuje czas. Szkoła nie jest już miejscem, gdzie dochodzą do głosu wielkie namiętności, lecz skurczonym światkiem, w miarę łagodnym więzieniem, w którym równie dobrze mógłby wyplatać koszyki, zamiast odbębniać lekcje. Kapsztad nie wyostrza jego umysłu, tylko go ogłupia. Dokonawszy tego spostrzeżenia, chłopiec zaczyna wpadać w panikę. Temu komuś, kim naprawdę jest, bliżej nieokreślonemu „ja", które powinno powstać z popiołów dzieciństwa, otoczenie nie pozwala się narodzić, pomniejsza go i skarla.

Najdotkliwiej odczuwa to na lekcjach pana Whelana. Mógłby napisać dużo więcej, niż pozwala mu nauczyciel. Pisząc wypracowania, których żąda pan Whelan, nie rozwija skrzydeł, lecz zwija się w kłębek, starając się jak najbardziej skulić i sprawiać w miarę możności nieszkodliwe wrażenie.

Wcale nie ma ochoty pisać o sporcie (*mens sana in corpore sano*) ani o bezpieczeństwie na drogach: tak go nudzą te tematy, że przemocą wyciska z siebie słowa. Nie chce nawet pisać o rozbójnikach: wydaje mu się, że wcale sam nie wymyślił smug księżycowego blasku, padającego na ich twarze, ani zbielałych knykci palców, którymi bandyci ściskają kolby pistoletów: te wizje robią, owszem, chwilowe wrażenie, lecz pochodzą skądinąd i zdążyły już zwietrzeć. Gdyby tylko mógł, gdyby adresatem nie był pan Whelan, napisałby coś mroczniejszego – coś, co ledwie zacząwszy spływać mu z pióra, niepohamowanie chlusnęłoby na stronicę jak rozlany atrament. Jak rozlany atrament, jak cienie mknące po nieruchomej tafli wody, jak trzaskające po niebie błyskawice.

Do obowiązków pana Whelana należy też wypełnianie czasu w porze katechezy tym szóstoklasistom, którzy nie są katolikami. Powinien wtedy czytać z nimi Ewangelię świętego Łukasza, ale zamiast tego w kółko opowiada im, kim byli Parnell oraz Roger Casement i jacy perfidni są Anglicy. Niekiedy wchodzi jednak do klasy, trzymając w ręku egzemplarz „Cape Times" i kipiąc z wściekłości, bo Rosjanie w którymś ze swoich państw satelitarnych znów dopuścili się jakichś oburzających czynów.

– W szkołach zorganizowali lekcje ateizmu i każą dzieciom opluwać krzyż! – grzmi. – Niezłomnych w wierze zsyłają do osławionych obozów karnych. Tak wygląda prawdziwe oblicze komunizmu, który ma czelność określać się mianem religii Człowieka.

Od brata Ottona dowiadują się o prześladowaniu chrześcijan w Chinach. Brat Otto w niczym nie przypomina pana Whelana: jest cichy, łatwo się rumieni i trzeba go namawiać, żeby zechciał coś opowiedzieć. Ale jego opowieści brzmią bardziej przekonująco, bo naprawdę odwiedził Chiny.

– Tak, widziałem to na własne oczy – mówi koślawą angielszczyzną. – Ludzi zamkniętych w maleńkiej celi, tak stłoczonych, że nie mieli czym oddychać, i poumierali. Sam widziałem.

Chłopcy między sobą przezywają go „Chińczyk Cing-Ciang". To, co brat Otto opowiada o Chinach, a pan Whelan o Rosji, nie jest dla uczniów ani trochę bardziej rzeczywiste niż Jan van Riebeeck albo Wielki Marsz. Mało tego: ponieważ komunizm, w przeciwieństwie do Jana van Riebeecka i Wielkiego Marszu, nie figuruje w programie nauczania szóstej klasy, wydarzenia w Chinach i w Rosji można zignorować. Chiny i Rosja to jedynie preteksty, żeby w bracie Ottonie lub w panu Whelanie obudzić żyłkę gawędziarską.

Chłopiec jest w rozterce. Wie, że opowieści nauczycieli nie mogą być zgodne z prawdą, ale nie ma jak tego udowodnić. Nie w smak mu, że musi siedzieć i ich słuchać, lecz zanadto jest sprytny, żeby zaprotestować czy choćby okazać niechęć. Czytał „Cape Times" i dobrze wie, jaki los spotyka sympatyków komunizmu. Wcale nie pragnie dać się zdemaskować i narazić na ostracyzm.

Chociaż pan Whelan wcale nie ma ochoty omawiać Biblii z niekatolikami, musi jednak czasem nawiązać do ewangelii.

– Jeśli cię kto uderzy w policzek, nadstaw mu i drugi – czyta u świętego Łukasza. – Co Jezus chce przez to powiedzieć? Czyżby życzył sobie, żebyśmy zaniechali obrony własnej? Czyżby twierdził, że mamy być mięczakami? Oczywiście, że nie. Ale jeśli jakiś twardziel podejdzie do ciebie i zechce wszcząć bijatykę, Jezus mówi: nie daj się

sprowokować. Istnieją lepsze narzędzia uzgadniania po-
glądów niż pięść.

– Każdemu, kto ma, będzie dodane; a temu, kto nie
ma, zabrane będzie nawet to, co ma. Co Jezus przez to rozumie? Czyżby chciał powiedzieć, że jedynym sposobem
osiągnięcia zbawienia jest rozdanie wszystkiego, co posia-
damy? Nie. Gdyby sobie życzył, żebyśmy chodzili w łach-
manach, oznajmiłby nam to wprost. Jezus wyraża się językiem przenośni. Mówi, że dla tych spośród nas, którzy
szczerze wierzą, nagrodą będzie niebo, a niewierzących
czekają za karę wiekuiste męki piekielne.

Chłopiec zastanawia się, czy pan Whelan zasięga zdania braci – a zwłaszcza brata Odilona, który jest kwesto-
rem i pobiera czesne – zanim przedstawi niekatolikom te
doktryny. Świecki nauczyciel najwidoczniej uważa niekatolików za pogan skazanych na potępienie. Natomiast
sami bracia okazują sporą tolerancję.

Chłopiec głęboko w sobie wzbrania się przed słucha-
niem biblijnych wykładów pana Whelana. Trwa w przeświadczeniu, że nauczyciel nie ma pojęcia, co naprawdę
znaczą Jezusowe przypowieści. Sam wprawdzie jest i zawsze był ateistą, ale czuje, że rozumie je lepiej niż pan Whelan. Jezus mu się nie podoba, bo zbyt łatwo wpada w furię,
w sumie jednak daje się z nim wytrzymać. Przynajmniej nie
udawał Boga i umarł, zanim zdążył zostać ojcem. W tym
tkwi siła Jezusa; dzięki temu Jezus zachowuje moc.

Jest jednak w Ewangelii świętego Łukasza fragment,
którego chłopiec słuchać nie lubi. Ilekroć na lekcjach dochodzą do tego passusu, sztywnieje i zatyka sobie uszy. Nie-
wiasty przybywają do grobu, żeby namaścić ciało Jezusa, ale
go tam nie znajdują. Spotykają za to dwóch aniołów.

– Dlaczego szukacie żyjącego wśród umarłych? – pytają
aniołowie. – Nie ma go tutaj; zmartwychwstał.

Wie, że gdyby przestał zasłaniać uszy i dopuścił do siebie te słowa, musiałby wejść na ławkę i wznieść triumfalny okrzyk. Musiałby raz na zawsze zrobić z siebie durnia.

Nie czuje, żeby pan Whelan osobiście źle mu życzył. A jednak na egzaminach z angielskiego nigdy nie dostaje więcej niż siedemdziesiąt punktów. Z taką oceną nie może przodować w angielskim: bardziej uprzywilejowani chłopcy z łatwością go prześcigają. Niezbyt też sobie radzi z historią i geografią, które nudzą go jak nigdy dotąd. Tylko dzięki dobrym stopniom z matematyki i łaciny ledwo, ledwo wychodzi na czoło, przed Olivera Mattera – Szwajcara, który przed jego przybyciem był najbystrzejszy w klasie.

Odkąd w osobie Olivera napotkał godnego siebie przeciwnika, dawna przysięga, że za każdym razem przyniesie do domu świadectwo prymusa, staje się ponurą sprawą osobistego honoru. Nic o tym nie mówi matce, ale przygotowuje się na ten dzień, któremu nie zdoła sprostać, kiedy to będzie musiał jej powiedzieć, że spadł na drugie miejsce w klasie.

Oliver Matter jest łagodny, uśmiechnięty, ma twarz jak księżyc w pełni i chyba nie tak znów bardzo cierpi z powodu spadku na drugie miejsce. Obaj codziennie rywalizują w konkursie szybkich pytań i odpowiedzi, który prowadzi brat Gabriel: ustawia chłopców w szeregu i chodząc wzdłuż niego, zadaje pytania, na które trzeba odpowiedzieć w pięć sekund, a każdego, komu się to nie uda, odsyła na ostatnie miejsce. Kiedy konkurs dobiega końca, na czele zawsze stoi albo Matter, albo Coetzee.

A potem Oliver przestaje przychodzić do szkoły. Przez miesiąc jego nieobecność pozostaje niewyjaśniona, po czym brat Gabriel oznajmia, że Oliver jest chory na białaczkę i leży w szpitalu, więc wszyscy mają się za niego modlić. Uczniowie pochylają głowy i zaczynają modlitwę. Chłopiec nie wierzy w Boga, więc się nie modli, tylko porusza ustami. Wszystkim będzie się wydawało, że życzę Oliverowi śmierci, bo gdyby umarł, zostałbym prymusem, myśli.

Oliver już nie wraca. Umiera w szpitalu. Uczniowie wyznania katolickiego biorą udział w specjalnej mszy za spokój jego duszy.

Groźba się oddaliła. Chłopiec swobodniej oddycha; ale pierwszeństwo w klasie już nie sprawia mu tej przyjemności co dawniej.

Rozdział siedemnasty

Życie w Kapsztadzie jest mniej urozmaicone niż w Worcester. Zwłaszcza w weekendy nie ma nic do roboty, można najwyżej czytać „Reader's Digest", słuchać radia albo odbijać piłkę do krykieta. Chłopiec już nie jeździ na rowerze: w Plumstead nie ma dokąd jeździć, bo są tam tylko wielokilometrowe rzędy domów mieszkalnych, ciągnące się we wszystkie strony świata. Zdążył zresztą wyrosnąć ze smithsa, który zaczyna wyglądać jak dziecinny rowerek.

Jeżdżenie na rowerze po ulicach wydaje mu się od pewnego czasu wręcz głupie. Inne zajęcia, które dawniej go wciągały, także straciły urok: mały konstruktor, znaczki pocztowe. Sam już nie bardzo rozumie, czemu trwonił na nie czas. Godzinami przesiaduje w łazience i uważnie przygląda się sobie w lustrze, niezadowolony z tego, co widzi. Przestaje się uśmiechać, uczy się robić chmurne miny.

Jedyną pasją, która w nim nie wystygła, jest namiętność do krykieta. Nie zna nikogo, kogo aż tak by pochłaniała. Grywa w krykieta w szkole, ale to mu nie wystarcza. Przed domem w Plumstead jest ganek z łupkową posadzką. Gra tam sam: lewą ręką trzyma kij, prawą rzuca w ścianę piłką, a kiedy ta się odbija, uderza w nią, wyobrażając sobie, że stoi na boisku. Godzinami młóci piłką w ścianę.

Sąsiedzi skarżą się matce, że hałasuje, lecz on puszcza te uwagi mimo uszu.

Przestudiował podręczniki gry w krykieta, zna na pamięć wszystkie warianty uderzeń i potrafi je wykonać, nie zapominając o prawidłowej pracy nóg. W gruncie rzeczy woli jednak swoje samotne rozgrywki na ganku niż prawdziwe mecze. Myśl, że miałby z kijem w ręku stanąć na prawdziwym boisku, podnieca go, a zarazem napawa lękiem. Szczególną trwogę budzą w nim miotacze, którzy rzucają szybkie piłki: boi się, że oberwie piłką i będzie go bolało. Ilekroć naprawdę gra w krykieta, całą energię musi skupić na tym, żeby się nie wzdrygnąć, nie skompromitować.

Prawie nigdy nie zalicza biegów. Jeśli nie da się strącić miotaczowi już przy pierwszym rzucie, potrafi czasem odbijać piłki choćby i przez pół godziny, nie zaliczając ani jednego punktu; złości to wszystkich, nawet kolegów z drużyny. Wpada wtedy jakby w bierny trans, w którym najzupełniej wystarcza mu samo odbijanie piłek. Kiedy po fakcie myśli o tych porażkach, na pociechę wspomina opowieści o międzypaństwowych meczach, które rozgrywano na błotnistych boiskach, a jakiś samotny zawodnik, zazwyczaj rodem z Yorkshire, nieustępliwie, po stoicku, z zaciśniętymi ustami młócił kijem set za setem, nie oddając pola, podczas gdy wokół niego bramki padały na ziemię.

W pewien piątek po południu w czasie meczu z reprezentacją Pinelands do lat szesnastu pierwszy z całego składu bierze do ręki kij i staje naprzeciw wysokiego, chuderlawego chłopaka, który przy dopingu kolegów z drużyny rzuca piłkę z największą szybkością i zajadłością, na jaką umie się zdobyć. Piłka lata zupełnie chaotycznie, omijając pałkarza, a czasem nawet bramkarza: pałkarz prawie nigdy nie musi jej odbijać.

W trzecim secie piłka ląduje na glinianym klepisku poza obrębem maty, odbija się stromym łukiem i trafia go w skroń. To już naprawdę przesada! – z urazą myśli chłopiec. Za daleko się posunął! Widzi, że gracze z głębi pola jakoś dziwnie na niego patrzą. Jeszcze słyszy dźwięk piłki uderzającej w kość: głuchy stukot bez pogłosu. A potem z pustką w głowie pada na ziemię.

Leży przy bocznej linii. Twarz i włosy ma mokre. Rozgląda się za swoim kijem, ale nigdzie go nie widzi.

– Poleż i odpocznij – dość pogodnym tonem mówi brat Augustyn. – Oberwałeś.

– Chcę dalej odbijać – mamrocze chłopiec i siada. Wie, że tak właśnie należało powiedzieć, żeby ustrzec się przed posądzeniem o tchórzostwo. Ale nie może wrócić na pozycję pałkarza: stracił kolejkę, teraz już kto inny za niego macha kijem.

Spodziewał się, że trener i koledzy bardziej się przejmą jego wypadkiem. Że niebezpieczny miotacz ściągnie na siebie oburzenie. Ale mecz trwa, a jego drużyna nieźle sobie radzi.

– Jak się czujesz? Boli? – pyta jeden z kolegów, ale potem ledwie słucha odpowiedzi. Chłopiec siedzi na linii autowej, śledząc przebieg kolejnych setów. Potem wraca na boisko i gra w polu. Chciałby dostać bólu głowy; chciałby stracić wzrok, zemdleć lub zrobić coś równie dramatycznego. Lecz czuje się świetnie. Dotyka skroni. Owszem, wyczuwa na niej lekko obolałe miejsce. Ma nadzieję, że do jutra skroń nabrzmieje i zsinieje, a on zyska dowód, że naprawdę oberwał.

Tak jak wszyscy inni uczniowie musi też grać w rugby. Nie jest zwolniony z tego obowiązku nawet niejaki Shepherd, chociaż ma niedowład lewej ręki po heinemedinie. Pozycje wyznaczane są na chybił trafił. Chłopcu przypadła rola podporowego w drugim składzie drużyny do lat trzynastu. Grywają w sobotnie poranki. W soboty zawsze pada: zmarznięty, zmokły i nieszczęśliwy biega po rozmiękłej trawie od młyna do młyna, popychany przez roślejszych chłopaków. Jako podporowemu nikt nie podaje mu piłki, a on jest za to wdzięczny, ponieważ boi się ostrych starć. Zresztą piłkę wysmarowano końskim sadłem, żeby zakonserwować skórę, więc i tak nie da się jej utrzymać w rękach, bo jest zbyt śliska.

Najchętniej w każdą sobotę udawałby chorego, ale wtedy jego drużyna liczyłaby tylko czternastu graczy. Nie stawić się na mecz rugby to coś dużo gorszego, niż nie przyjść do szkoły w dzień powszedni.

Drugi skład drużyny do lat trzynastu nigdy nie wygrywa. Pierwszy też zazwyczaj przegrywa, podobnie zresztą jak większość drużyn ze Świętego Józefa. Chłopiec nie rozumie, po co w tej szkole w ogóle gra się w rugby. Bracia są z pochodzenia Austriakami albo Irlandczykami i z całą pewnością nie popierają tego sportu. Kiedy z rzadka przychodzą popatrzeć na mecz, mają zdumione miny i najwidoczniej nie rozumieją, na czym ta gra polega.

Matka trzyma w dolnej szufladzie książkę w czarnej okładce, zatytułowaną *Małżeństwo doskonałe*. Jest to książka o seksie; chłopiec od lat wie o jej istnieniu. Pewnego dnia wykrada ją z szuflady i przynosi do szkoły. Wśród kolegów wznieca to szmerek zaciekawienia; widocznie rodzice żadnego z nich nie mają takiej książki.

Chociaż lektura sprawia im zawód, bo ilustracje przedstawiające narządy płciowe wyglądają jak rysunki z podręczników i nawet w rozdziale o różnych pozycjach nie ma niczego podniecającego (fragment o tym, że członek wnika do pochwy, brzmi jak opis lewatywy), koledzy z przejęciem nad nią ślęczą i hałaśliwie domagają się, żeby im ją pożyczył.

Idąc na lekcję chemii, zostawia książkę w kasetce. Kiedy uczniowie wracają do klasy, twarz brata Gabriela, zazwyczaj dość pogodna, ma lodowaty, karcący wyraz. Chłopiec nie wątpi, że brat Gabriel zajrzał do kasetki i zobaczył książkę; z łomoczącym sercem oczekuje publicznej demaskacji i pohańbienia; demaskacja nie następuje, lecz chłopiec w każdej zdawkowej uwadze brata Gabriela doszukuje się zawoalowanej aluzji do zła, którym on, obcy wśród katolików, pokalał szkołę. Między nim a bratem Gabrielem wszystko się psuje. Gorzko żałuje, że przyniósł książkę do szkoły; zabiera ją do domu, z powrotem chowa w szufladzie i odtąd nawet na nią nie spojrzy.

On i jego koledzy jeszcze przez pewien czas zbierają się podczas pauz w kącie boiska, żeby rozmawiać o seksie. Uczestniczy w tych rozmowach, wtrącając fragmenty wyczytane w wiadomej książce. Okazują się one jednak za mało interesujące: starsi chłopcy tworzą niebawem własne kółko i rozmawiają na osobności, raz po raz zniżając nagle głos lub wybuchając głośnym rechotem. Duszą tego towarzystwa jest Billy Owens, który skończył czternaście lat, ma szesnastoletnią siostrę, zna dziewczyny, chodzi na potańcówki w skórzanej kurtce i może nawet miał już stosunek płciowy.

Chłopiec zaprzyjaźnia się z Theo Stavropoulosem. Krążą plotki, że Theo to *moffie*, pedał, on jednak nie ma zamiaru im wierzyć. Podoba mu się Theo, jego delikatna, śniada cera, nienagannie ostrzyżone włosy i szykowne ubrania. Nawet szkolny blezer w idiotyczne pionowe paski dobrze na nim leży.

Ojciec Theo ma fabrykę. Nikt właściwie nie wie, co się w niej produkuje, ale ma to jakiś związek z rybami.

Stavropoulosowie mieszkają w dużym domu w najbogatszej części Rondebosch. Mają tyle pieniędzy, że ich synowie z pewnością chodziliby do Kolegium Diecezjalnego, gdyby nie byli Grekami. Ponieważ jednak są Grekami i noszą cudzoziemskie nazwisko, muszą chodzić do Świętego Józefa, służącego, jak widać, za coś w rodzaju kosza, w którym lądują wszyscy chłopcy niepasujący nigdzie indziej.

Tylko raz zdarza mu się przelotnie zobaczyć ojca Theo – wysokiego, eleganckiego pana w ciemnych okularach. Częściej widuje panią Stavropoulos; matka Theo jest drobna, szczupła, śniada, pali papierosy i jeździ niebieskim buickiem, który ma być podobno jedynym autem w Kapsztadzie, a może i w Południowej Afryce, wyposażonym w automatyczną skrzynię biegów. Theo ma starszą siostrę – tak piękną, kosztownie wykształconą i godną świetnego małżeństwa, że nie wolno jej narażać na spojrzenia kolegów młodszego brata.

Braci Stavropoulosów co rano przywozi do szkoły niebieski buick; za kierownicą czasem siedzi ich matka, częściej jednak prowadzi szofer w czarnej liberii i w czapce z daszkiem. Auto dostojnie wtacza się na szkolny dziedziniec, Theo i jego brat wysiadają, po czym buick odjeżdża. Chłopiec nie rozumie, czemu Theo dopuszcza do tych scen. On w takiej sytuacji kazałby się wysadzić o przecznicę dalej. Ale Stavropoulos z całym spokojem znosi żarty i szyderstwa.

Pewnego dnia po lekcjach Theo zaprasza go do siebie do domu. Na miejscu okazuje się, że mają zjeść obiad. O trzeciej po południu siadają więc w jadalni przy stole, na którym leżą srebrne sztućce i czyste serwetki do ust, a służący w białej liberii podaje im steki z frytkami, po czym staje za krzesłem Theo i czeka na dalsze rozkazy, oni zaś tymczasem jedzą.

Chłopiec za nic w świecie nie chce okazać, jak bardzo jest zaskoczony. Owszem, wie, że są ludzie, wokół których krząta się służba; ale nie zdawał sobie sprawy, że dzieci też mogą mieć swoich służących.

A potem rodzice i siostra Theo wyjeżdżają gdzieś za morze; dziewczyna ma podobno wziąć ślub z angielskim baronetem. Jej młodsi bracia trafiają do internatu. Chłopiec spodziewa się, że Theo wyjdzie z tej przygody zdruzgotany: nie zniesie zazdrości i złośliwości współmieszkańców, nędznego jedzenia, upokarzającego życia, odartego z wszelkiej dyskrecji. Oczekuje też, że Theo zostanie ostrzyżony tak samo jak wszyscy. Ale młodemu Stavropoulosowi jakoś się udaje ocalić elegancką fryzurę; chociaż dziwnie się nazywa, jest niewysportowany i uchodzi za *moffie*, to i tak wciąż po swojemu wytwornie się uśmiecha, nigdy nie narzeka, nigdy nie daje się poniżyć.

Theo siedzi obok niego w ciasnej ławce, pod obrazem przedstawiającym Jezusa, który otwiera pierś, żeby odsłonić pałające rubinowym blaskiem serce. Powinni robić powtórkę z historii, lecz mają przed sobą książeczkę do gramatyki, z której Theo uczy go starożytnej greki. Starożytna greka z nowożytną wymową: chłopcu strasznie się podoba ten ekscentryczny pomysł. *Aftós*, szepcze Theo; *evdhemonía. Evdhemonía*, powtarza chłopiec.

Brat Gabriel nadstawia ucha.

– Co ty tam robisz, Stavropoulos? – pyta.

– Uczę go greckiego, proszę brata – odpowiada Theo, jak zwykle uprzejmy i pewny siebie.

– Wracaj na swoje miejsce.

Theo uśmiecha się i rusza w stronę swojej ławki.

Braciszkowie nie lubią Stavropoulosa. Drażni ich swoją arogancją; do jego zamożności odnoszą się równie niechętnie jak uczniowie. Ta niesprawiedliwość złości chłopca; chętnie stanąłby do walki w obronie Theo.

Rozdział osiemnasty

Chcąc jakoś związać koniec z końcem, póki kancelaria prawnicza, którą właśnie otworzył ojciec, nie zacznie przynosić zysków, matka wraca do zawodu nauczycielki. Domem zajmie się służąca – wychudzona, prawie bezzębna Celia, która dla towarzystwa przyprowadza czasem młodszą siostrę. Pewnego dnia po powrocie ze szkoły chłopiec zastaje je w kuchni: siedzą i piją herbatę. Młodsza siostra, ładniejsza od Celii, uśmiecha się do niego. W jej uśmiechu jest coś, co zbija go z tropu; nie wiedząc, gdzie podziać oczy, wycofuje się do swojego pokoju. Słyszy śmiech obu kobiet i wie, że śmieją się z niego.

Coś się zmienia. Ma wrażenie, że bez przerwy jest zakłopotany. Nie wie, gdzie skierować wzrok, co zrobić z rękami, jaką przybrać postawę i wyraz twarzy. Wszyscy się na niego gapią, oceniają i dopatrują się niedociągnięć. Czuje się jak wyciągnięty z muszli krab – różowy, okaleczony i nieprzyzwoity.

Dawniej miał mnóstwo pomysłów: dokąd pójść, o czym porozmawiać, co zrobić. Zawsze wyprzedzał wszystkich o krok: przewodził, a inni za nim podążali. I oto zniknęła gdzieś energia, którą niegdyś w sobie czuł i nią tryskał. W wieku trzynastu lat staje się opryskliwy, naburmuszony, mroczny. Nie lubi tej swojej nowej, brzydkiej postaci, chciałby dać się z niej wyłuskać, ale sam nie zdoła tego dokonać. Lecz czy jest ktoś, kto go w tym wyręczy?

Odwiedzają ojca w nowym biurze, żeby je obejrzeć. Biuro jest w Goodwood, które należy do ciągu afrykanerskich przedmieść: Goodwood-Parow-Bellville. Okna pomalowane są na ciemnozielono. Na zielonym tle złote litery układają się w napis: PROKUREUR – Z. COETZEE – ADWOKAT. W ponurym wnętrzu stoją masywne meble z tapicerką z czerwonej skóry i końskiego włosia. Książki prawnicze, które wraz z całą rodziną podróżowały po Południowej Afryce, odkąd ojciec w roku 1937 wycofał się z branży, wychynęły z pudeł i stoją na półkach. Chłopiec od niechcenia sprawdza hasło „gwałt". Tubylcy wsuwają czasem członek męski kobiecie między uda, nie dokonując penetracji, stwierdza przypis. Praktyka ta wchodzi w zakres prawa zwyczajowego i nie mieści się w definicji gwałtu.

Chłopcu nasuwa się pytanie, czy właśnie to robią ludzie w sądach: spierają się, gdzie trafił penis?

Ojciec jako adwokat najwidoczniej robi furorę. Prócz maszynistki zatrudnia aplikanta nazwiskiem Eksteen. Powierza mu rutynowe sprawy, takie jak przeniesienia prawa własności i testamenty; sam poświęca się pasjonującej pracy na sali sądowej, czyli „pomaga ludziom się wykaraskać". Codziennie po powrocie do domu opowiada kilka nowych historii o ludziach, którzy dzięki niemu się wykaraskali i są mu za to ogromnie wdzięczni.

Matkę interesują nie tyle ludzie, którym ojciec pomógł się wykaraskać, ile piętrzące się długi. Najczęściej pada w związku z nimi nazwisko niejakiego Le Roux, handlarza samochodów. Matka nastaje na ojca: jest przecież adwokatem, więc chyba potrafi zmusić Le Roux do zwrotu pieniędzy. Ojciec odpowiada, że Le Roux na pewno ureguluje należność z końcem miesiąca, tak jak obiecał. Lecz miesiąc się kończy, a dług Le Roux wciąż jest niespłacony.

Le Roux ani nie zwraca długu, ani nie znika. Wręcz przeciwnie, zaprasza ojca do knajp, obiecuje mu kolejne zlecenia, roztacza przed nim optymistyczne wizje pieniędzy, które można zarobić na zajmowaniu aut za niespłacone raty.

W domu wybuchają coraz bardziej zapalczywe kłótnie, słychać w nich jednak zarazem nutę czujności. Chłopiec pyta matkę, o co właściwie chodzi. Matka odpowiada z goryczą, że Le Roux wciąż pożycza od Jacka pieniądze.

Synowi nie trzeba tego dokładniej tłumaczyć. Zna swojego ojca i wie, co się dzieje. Ojciec pragnie akceptacji i gotów jest zrobić wszystko, żeby go lubiano. W kręgach, w których się obraca, są tylko dwa sposoby zdobycia sympatii: trzeba fundować ludziom alkohol albo pożyczać im pieniądze.

Dzieciom nie wolno wchodzić do barów. Lecz pewnego wieczoru obaj bracia siedzieli przy stoliku w kącie sali w barze hotelu we Fraserburg Road i popijali sok ze świeżych pomarańczy; patrząc, jak ojciec funduje obcym ludziom brandy i wodę, poznawali go od całkiem nowej strony. Chłopiec wie zatem, w jaki ekspansywny, jowialny nastrój wprawia ojca trunek, zna jego chełpliwe gesty wielkiego rozrzutnika.

Z posępną zachłannością wsłuchuje się w zrzędliwe monologi matki. Sam wprawdzie przestał już się nabierać na ojcowskie sztuczki, ale nie jest pewien, czy matka im się oprze: zbyt często widywał, jak ojcu udaje się ją podejść.

– Nie słuchaj go – ostrzega matkę. – On cię przez cały czas okłamuje.

Afera z Le Roux wygląda coraz groźniej. Trwają długie rozmowy telefoniczne. Zaczyna się pojawiać nowe nazwisko: Bensusan. Na Bensusanie można polegać, twierdzi matka. Bensusan jest Żydem i nie pije. Bensusan uratuje Jacka, sprowadzi go z powrotem na dobrą drogę.

Okazuje się, niestety, że Le Roux nie jest jedynym dłużnikiem. Są jeszcze inni mężczyźni, inni kompani od kieliszka, którym ojciec pożyczał pieniądze. Chłopiec nie może w to uwierzyć, nic z tego wszystkiego nie rozumie. Skąd wzięło się takie mnóstwo pieniędzy, skoro ojciec ma tylko jeden garnitur i jedną parę butów, a do pracy musi jeździć pociągiem? Czyżby można było aż tyle zarobić w tak krótkim czasie, pomagając ludziom się wykaraskać?

Nigdy nie widział Le Roux, ale z łatwością potrafi go sobie wyobrazić. Le Roux będzie więc rumianym Burem z wąsami blond, ubranym w granatowy garnitur z czarnym krawatem; lekko otyły, wiecznie spocony, będzie opowiadał donośnym głosem świńskie kawały.

Le Roux siedzi z ojcem w barze w Goodwood. Kiedy ojciec nie patrzy, Le Roux za jego plecami puszcza oko do innych klientów baru. Upatrzył sobie ojca, żeby z niego zrobić frajera. Chłopiec pali się ze wstydu, że ojciec jest taki głupi.

Okazuje się, że zaprzepaszczone pieniądze nie były własnością ojca. To dlatego w imieniu Stowarzyszenia Prawników wmieszał się w to Bensusan. Sprawa jest poważna: pieniądze pochodzą z funduszu powierniczego, którym zawiadywał ojciec.

— Co to jest fundusz powierniczy? – pyta chłopiec matkę.

— Pieniądze, które ojcu powierzono — pada odpowiedź.

— A dlaczego ludzie powierzają mu pieniądze? – dziwi się syn. – Chyba powariowali.

Matka kręci głową. Adwokaci prowadzą fundusze powiernicze, wyjaśnia. Bóg jeden wie, dlaczego ktoś im to zleca.

– Jack w sprawach pieniędzy jest jak dziecko – dodaje.

Bensusan, a wraz z nim Stowarzyszenie Prawników, wkracza dlatego, że jacyś ludzie próbują ojca uratować; są to jego dawni znajomi z okresu, kiedy był kontrolerem dzierżaw, zanim nacjonaliści dorwali się do władzy. Otóż te życzliwe osoby nie chcą, żeby ojciec trafił do więzienia. Przez wzgląd na dawne czasy oraz na jego żonę i dzieci przymkną oczy na to i owo, doprowadzą do zawarcia ugody. Będzie mógł zwrócić pieniądze w ratach rozłożonych na pięć lat; a potem sprawa zostanie zamknięta, cała historia pójdzie w niepamięć.

Matka na własną rękę zasięga porady prawnej. Chciałaby, żeby jej osobisty majątek oddzielono od majątku męża, zanim zdarzy się jakaś nowa katastrofa: chce na przykład zatrzymać stół z jadalni, komodę z lustrem i stolik z drewna śliwy afrykańskiej, który dostała od ciotki Annie. Chciałaby zmodyfikować kontrakt małżeński, na mocy którego oboje ponoszą wzajemną odpowiedzialność za swoje długi. Okazuje się jednak, że kontrakty małżeńskie nie podlegają modyfikacjom. Jeśli ojciec pójdzie na dno, pociągnie za sobą matkę, a wraz z nią dzieci.

Eksteen i maszynistka dostają wymówienie, kancelaria w Goodwood zostaje zamknięta. Chłopiec nie ma okazji naocznie się przekonać, co się stało z zielonym oknem i złotymi literami. Matka nadal uczy w szkole. Ojciec zaczyna szukać pracy. Co rano punkt siódma wyrusza do miasta. Lecz po godzinie lub dwóch, kiedy nikogo nie ma już w domu, potajemnie wraca. Przebiera się z powrotem w piżamę i kładzie do łóżka, mając pod ręką krzyżówkę z „Cape Times", ćwiartkę brandy i dzbanek wody. O drugiej po południu, zanim wrócą domownicy, ubiera się i idzie do klubu.

Klub nazywa się Wynberg Club, ale zajmuje tylko część hotelu Wynberg. Ojciec je tam kolację, a potem pije przez cały wieczór. Czasem po północy jakiś hałas budzi chłopca, ma on bowiem lekki sen, i pod dom zajeżdża auto; otwierają się drzwi wejściowe, ojciec wchodzi i rusza prosto do toalety. Potem z sypialni rodziców dobiega gorączkowa szeptanina. Rano na podłodze w toalecie i na desce sedesu są ciemnożółte kałuże, a w powietrzu wisi mdlący słodki odór.

Chłopiec wiesza w toalecie kartkę, na której napisał: PROSZĘ PODNOSIĆ DESKĘ. Wywieszka zostaje zignorowana. Oddawanie moczu na deskę sedesową staje się dla ojca ostatnim aktem buntu przeciwko żonie i dzieciom, którzy przestali się do niego odzywać.

Starszy syn odkrywa sekret ojca, gdy pewnego dnia nie idzie do szkoły, bo jest chory albo tylko symuluje. Leżąc w łóżku, słyszy zgrzyt klucza w zamku drzwi wejściowych, a później odgłosy, które wydaje ojciec, kładąc się do łóżka w sąsiednim pokoju. Potem obaj mijają się w korytarzu, zagniewani i nękani poczuciem winy.

Zanim ojciec po południu wyjdzie z domu, opróżnia skrzynkę na listy, wybierając niektóre, żeby je schować na dnie swojej szafy z ubraniami, pod papierową wykładziną. Kiedy w końcu wszystko wychodzi na jaw, matka ma największe pretensje właśnie o to tajne archiwum przechowywane w szafie: rachunki z czasów Goodwood, listy z roszczeniami, zawiadomienia od prawników.

– Gdybym chociaż wiedziała, mogłabym coś zaplanować – mówi. – A teraz wszystko się zawaliło.

Długom nie ma końca. Wierzyciele zjawiają się o każdej porze dnia i nocy, ale chłopiec nigdy ich nie widuje. Ilekroć rozlega się pukanie do drzwi wejściowych, ojciec zamyka się w swojej sypialni. Matka półgłosem wita gości, zaprasza ich do salonu i zamyka drzwi. Syn słyszy potem, jak w kuchni gniewnie szepcze coś do siebie.

W rozmowach pada nazwa Wspólnoty Anonimowych Alkoholików; mówi się, że ojciec powinien się do nich zgłosić, jeśli chce dowieść szczerości swoich zamiarów. Ojciec obiecuje, że pójdzie, lecz nie dotrzymuje słowa.

Przychodzą dwaj komornicy sądowi, żeby zinwentaryzować zawartość domu. Jest słoneczny niedzielny ranek. Chłopiec chowa się w swojej sypialni i usiłuje czytać, ale nic z tego: komornicy żądają, żeby ich wpuszczono do jego pokoju, do wszystkich pokojów. Wychodzi na podwórko za domem. Nawet tam idą za nim, rozglądając się i zapisując coś w notesie.

Bez przerwy kipi wściekłością. Do matki mówi o ojcu „ten człowiek", bo zanadto go nienawidzi, żeby nadać mu jakiekolwiek konkretne miano: dlaczego musimy mieć z tym człowiekiem cokolwiek wspólnego? Czemu nie pozwolisz, żeby ten człowiek poszedł do więzienia?

Ma na książeczce oszczędnościowej dwadzieścia pięć funtów. Matka przysięga, że nikt mu nie odbierze tych pieniędzy.

Odwiedza ich niejaki pan Golding. Jest wprawdzie Mulatem, ale nie wiedzieć czemu ma nad ojcem władzę. Wizytę poprzedzają staranne przygotowania. Pan Golding zostanie przyjęty w pokoju od frontu, tak jak inni wierzyciele, i poczęstowany herbatą w naczyniach z tego samego serwisu. Jest nadzieja, że z wdzięczności za tak dobre traktowanie powstrzyma się od wniesienia sprawy do sądu.

Pan Golding przychodzi. Ma na sobie garnitur z dwurzędową marynarką i nie uśmiecha się. Pije herbatę, którą podała matka, ale niczego nie obiecuje. Żąda zwrotu pieniędzy.

Po jego wyjściu zaczyna się debata, co zrobić z filiżanką. Okazuje się, że zwyczaj każe stłuc naczynie, z którego pił Mulat. Chłopiec jest zdumiony, że rodzina matki, niewierząca w nic innego, wierzy w ten akurat dogmat. W końcu jednak matka myje tylko filiżankę bielidłem.

W ostatniej chwili ciotka Dzidzia z Williston przychodzi na ratunek, pragnąc ocalić honor rodziny. Stawia szereg warunków – między innymi ten, że Jack ma na zawsze zaniechać praktyki adwokackiej.

Ojciec przyjmuje warunki i zgadza się podpisać zobowiązanie. Lecz gdy przychodzi co do czego, trzeba go długo namawiać, żeby wstał z łóżka. W końcu zjawia się – w luźnych szarych spodniach i bluzie od piżamy, boso. Bez słowa składa podpis i znów idzie się położyć.

Wieczorem ubiera się i wychodzi z domu. Nie wiedzą, gdzie spędził noc; wraca dopiero nazajutrz.

– Po co w ogóle było go zmuszać, żeby podpisał? – zrzędzi chłopiec. – Przecież nie zwraca żadnych innych długów, więc niby czemu miałby zwrócić akurat Dzidzi?

– Mniejsza o to, sama jej zwrócę – odpowiada matka.

– Jakim cudem?

– Zapracuję.

W jej zachowaniu jest coś, czego syn nie może już dłużej nie zauważać, coś niezwykłego. Z każdą kolejną rewelacją jakby rosły jej siła i upór. Wygląda na to, że matka sama ściąga na siebie nieszczęścia wyłącznie po to, żeby pokazać światu, ile potrafi wytrzymać.

– Zwrócę wszystkie jego długi – oświadcza. – Będę spłacać w ratach. Zarobię na to.

Jej mrówcza determinacja tak bardzo gniewa syna, że najchętniej by matkę uderzył. Wyraźnie widzi, co się kryje za tą jej postawą. Matka chce się poświęcić dla swoich dzieci. Bezgraniczne poświęcenie: chłopiec aż nazbyt dobrze zna ten klimat. Lecz gdy matka poświęci się bez reszty, sprzeda ostatnie ubranie z grzbietu, a nawet buty, i będzie chodziła z okrwawionymi stopami, gdzie on sam wyląduje? Tej myśli znieść nie potrafi.

Nadchodzą grudniowe ferie, a ojciec wciąż nie ma pracy. Siedzą teraz w domu wszyscy czworo jak szczury w klatce, omijając się nawzajem, chowając się każde w innym pokoju. Młodszy brat pogrąża się w komiksach: czyta *Eagle* i *Beano*. Ulubionym komiksem starszego jest *Rover* opowiadający o losach Alfa Tuppera: ten mistrz w biegu na półtora kilometra pracuje w fabryce w Manchesterze, a żywi się rybą z frytkami. Chłopiec usiłuje zapamiętać się w lekturze, ale mimo woli strzyże uszami, łowiąc każdy szept i trzask, jaki rozlega się w domu.

Pewnego ranka zapada dziwna cisza. Matka wyszła, ale w powietrzu wisi coś – jakaś woń, aura, ciężar – co budzi w chłopcu przeświadczenie, że „ten człowiek" nadal jest w domu. Niemożliwe, żeby jeszcze spał. Czyżby – o, cudzie nad cudami! – popełnił samobójstwo?

Lecz gdyby rzeczywiście je popełnił, czy nie lepiej byłoby udawać, że niczego się nie zauważyło, bo dzięki temu tabletki nasenne czy jakiś inny środek, który zażył samobójca, będą miały więcej czasu, żeby podziałać? I co zrobić, żeby młodszy brat nie wszczął alarmu?

W wojnie przeciwko ojcu chłopiec nigdy nie był całkiem pewien poparcia brata. Jak daleko sięga pamięcią, ludzie zawsze twierdzili, że podczas gdy starszy wdał się w matkę, młodszy odziedziczył wygląd po ojcu. Podejrzewa więc, że brat może mieć do ojca słabość; podejrzewa, że młodszy z tą swoją bladą twarzą o zaniepokojonym wyrazie i powieką, którą wstrząsa nerwowy tik, w ogóle jest słaby.

Oczywiście najlepiej byłoby omijać szerokim łukiem pokój „tego człowieka", żeby w razie późniejszych pytań móc odpowiedzieć: „Rozmawiałem z bratem" albo „Czytałem u siebie w pokoju". Ale chłopiec nie umie pohamować ciekawości. Na palcach podkrada się do drzwi, uchyla je i zagląda.

Jest ciepły letni ranek. Nie wieje choćby najlżejszy wiatr, a w nieruchomym powietrzu słychać dobiegające z dworu ćwierkanie i furkot skrzydeł wróbli. Okiennice są zamknięte, zasłony w oknach szczelnie zaciągnięte. W pokoju czuć męskim potem. Chłopiec widzi w półmroku, że ojciec leży na łóżku. Przy każdym wydechu z głębi gardła wydobywa mu się cichy bulgot.

Syn podchodzi bliżej. Jego oczy oswajają się z półmrokiem. Ojciec ma na sobie spodnie od piżamy i bawełniany podkoszulek. Jest nieogolony. Pod szyją widać czerwony klin opalenizny, a niżej – bladą pierś. Przy łóżku stoi nocnik: w brązowawym moczu pływają niedopałki papierosów. Chłopiec nigdy w życiu nie widział niczego obrzydliwszego.

Za to tabletek ani widu. Ten człowiek nie umiera, tylko po prostu śpi. Nie odważy się zażyć środków nasennych, tak samo jak nie ma odwagi wyjść z domu i poszukać pracy.

W dniu powrotu ojca z wojny rozgorzała między nim a synem kolejna wojna, w której ojciec nigdy nie miał szans zwyciężyć, bo w żaden sposób nie mógł przewidzieć, jak bezlitosny i wytrwały okaże się przeciwnik. Działania wojenne trwały siedem lat; i oto dziś syn nareszcie zatriumfował. Czuje się jak rosyjski żołnierz na Bramie Brandenburskiej wznoszący czerwoną flagę nad ruinami Berlina.

A jednocześnie wolałby wcale nie być w tym pokoju, nie widzieć tej haniebnej sceny. Niesprawiedliwość! – ma ochotę zawołać. Jestem tylko dzieckiem! Pragnie, żeby ktoś... żeby jakaś kobieta wzięła go w ramiona, uleczyła rany, ukołysała go i powiedziała, że to po prostu zły sen. Myśli o babci, która dawała mu się pocałować w policzek, miękki, chłodny i jedwabiście suchy. Chciałby, żeby przyszła i wszystko naprawiła.

Ojcu więźnie w gardle flegma. Śpiący kaszle i przewraca się na bok. Otwiera oczy: ma spojrzenie człowieka całkowicie przytomnego, zdającego sobie sprawę, gdzie jest. Patrzy na syna, który stoi, gdzie nie powinien, i szpieguje. W oczach ojca nie widać wprawdzie potępienia, ale dobroci też ani śladu.

Mężczyzna leniwie sunie ręką w dół i poprawia spodnie od piżamy.

Chłopiec chciałby, żeby ojciec coś powiedział, chociaż słowo. Niechby na przykład spytał, która godzina. Synowi byłoby wtedy łatwiej. Ale mężczyzna milczy. Nie spuszcza z chłopca spokojnego, dalekiego spojrzenia. A potem zamyka oczy i znowu zasypia.

Chłopiec wraca do swojego pokoju i zamyka za sobą drzwi.

Chwilami ponura mgła się rozwiewa. W niebie, które zazwyczaj wisi mu nad głową szczelną warstwą, bliskie niemal na wyciągnięcie ręki, powstaje szpara i przez moment chłopiec widzi świat, jaki naprawdę jest. Widzi siebie w białej koszuli z podwiniętymi rękawami i w szarych szortach, z których niebawem wyrośnie; przestał być dzieckiem, żaden przechodzień nie wziąłby go już za dziecko – jest na to zbyt duży, nie pora wymawiać się dzieciństwem – ale pozostał po dziecinnemu głupi i zaprzątnięty sobą: dziecinny; tępy; niedoinformowany; opóźniony w rozwoju. W takich chwilach widzi także rodziców, patrząc na nich z wysoka i nie czując gniewu; nie są wtedy dwiema szarymi, bezkształtnymi bryłami przygniatającymi

mu barki, spiskującymi dniem i nocą, jakby go tu unie-
szczęśliwić, lecz dwojgiem ludzi, z których każde po swojemu wiedzie nudne, pełne trosk życie. Niebo rozwiera
się i widać świat, jaki jest, po czym szczelina w niebie się
zamyka, a chłopiec znów staje się sobą i przeżywa jedyną fabułę, do której gotów byłby się przyznać: własną historię.

Matka stoi przy zlewie, w najciemniejszym rogu kuchni, tyłem do syna. Ręce ma całe w mydlinach i bez zbyt-
niego pośpiechu szoruje garnek. Chłopiec łazi z kąta w kąt
i plecie trzy po trzy – sam nie wie co; z właściwą sobie za-
palczywością na coś narzeka.

Matka odwraca się od zlewu i przelotnie spogląda na
chłopca. W jej spojrzeniu jest rozwaga i ani odrobiny sympatii. Kobieta nie po raz pierwszy zobaczyła syna. Można raczej powiedzieć, że ujrzała go takiego, jaki jest od zawsze, i sama też zresztą właśnie tak go odbiera, ilekroć nie
omotują jej złudzenia. Widzi go i podsumowuje, niezado-
wolona, wręcz nim znudzona.

A on właśnie tego najbardziej się obawia z jej strony
– ze strony osoby, która zna go lepiej niż ktokolwiek na
świecie i ma nad nim tę olbrzymią przewagę, że dokładnie go pamięta z jego pierwszych, najbardziej bezradnych
i wstydliwych lat, chociaż on sam mimo wszelkich starań
niczego z nich sobie przypomnieć nie potrafi; osoby, która zapewne zna też (jest przecież dociekliwa i ma własnych informatorów) żałosne sekrety jego szkolnego życia. Chłopiec boi się jej osądu. Boi się chłodnych myśli,
które niewątpliwie snują się jej po głowie w takich chwilach, kiedy nie zabarwia ich żadna namiętność i nie ma
najmniejszego powodu, żeby osąd był czymkolwiek zmą-
cony; najbardziej jednak przeraża go wizja chwili, która
jeszcze nie nadeszła – tej, gdy matka powie, co o nim są-

dzi. Będzie to jak uderzenie pioruna; syn tego nie wytrzyma. Nie chce wiedzieć. Tak bardzo wzbrania się przed tą wiedzą, że czuje, jak w jego głowie jakaś dłoń podnosi się, żeby zatkać uszy i oczy. Wolałby oślepnąć i ogłuchnąć, niż dowiedzieć się, co matka o nim myśli. Wolałby żyć jak żółw w skorupie.

Ta kobieta nie przyszła na świat wyłącznie po to, żeby go kochać, ochraniać i zaspokajać jego potrzeby. Wręcz przeciwnie: żyła własnym życiem, zanim on się narodził, i w tym swoim życiu miała wszelkie prawo ani przez sekundę o nim nie myśleć. Na pewnym etapie życia urodziła go; urodziwszy, postanowiła kochać; może zresztą podjęła to postanowienie, zanim jeszcze go urodziła; w każdym razie postanowiła go kochać, więc może też mocą własnego postanowienia pozbawić go tej miłości.

– Poczekaj, aż sam będziesz miał dzieci – mówi mu w chwili szczególnego rozgoryczenia. – Wtedy dopiero zobaczysz.

Co takiego zobaczy? Matka powtarza tę formułkę, która brzmi, jakby pochodziła z dawnych czasów. Może każde kolejne pokolenie recytuje ją następnemu jak przestrogę, groźbę. Ale chłopiec nie chce słuchać tych słów. „Poczekaj, aż sam będziesz miał dzieci". Co za bzdura, co za sprzeczność! Jak dziecko może mieć dzieci? A zresztą właśnie tego, co wiedziałby, gdyby był ojcem, własnym ojcem, wiedzieć nie chce. Wzbrania się przed wizją, którą matka usiłuje mu narzucić: trzeźwą, zawiedzioną, rozczarowaną.

Rozdział dziewiętnasty

Ciotka Annie umarła. Po upadku na schodkach – wbrew obietnicom lekarzy – nie mogła już chodzić, nawet o lasce. Z łóżka w Volkshospitaal przeniesiono ją na łóżko w domu starców w Stikland, na głuchej prowincji, gdzie nikt nie miał czasu jej odwiedzać, i w końcu umarła w zupełnym osamotnieniu. A teraz ma spocząć na cmentarzu numer trzy w Woltemade.

Chłopiec początkowo odmawia pójścia na pogrzeb. Twierdzi, że dosyć ma modlitw w szkole i nie chce ich więcej słuchać. Nie kryje pogardy dla łez, które się przy tej okazji poleją. Sprawienie ciotce Annie porządnego pogrzebu ma jedynie zapewnić jej krewnym dobre samopoczucie. Należałoby wykopać dół w ogrodzie domu starców i tam ją pochować. Taniej by wyszło.

W głębi duszy wcale tak nie myśli. Ale pragnie mówić matce takie rzeczy, pragnie patrzeć, jak jej twarz zacina się z bólu i oburzenia. Ile jeszcze będzie musiał nagadać, zanim matka wreszcie odwinie się i każe mu zamilknąć?

Nie lubi myśleć o śmierci. Wolałby, żeby ludzie po prostu przestawali istnieć, znikali, zamiast starzeć się i chorować. Nie lubi widoku brzydkich, starych ciał; wzdryga się na myśl o starcach rozbierających się do naga. Ma nadzieję, że w wannie domu, w którym wraz z resztą rodziny mieszka w Plumstead, nigdy nie kąpał się nikt stary.

Jego własna śmierć to zupełnie co innego. Po śmierci zawsze jest w pewien sposób obecny i szybuje nad całym widowiskiem, napawając się bólem tych, którzy wpędzili go do grobu, a teraz poniewczasie żałują, że zniknął spośród żywych.

W końcu jednak jedzie z matką na pogrzeb ciotki Annie. Jedzie, ponieważ matka o to błaga, a on lubi, żeby go błagano, delektuje się wtedy poczuciem władzy; zresztą nigdy jeszcze nie był na pogrzebie i chce zobaczyć, jak głęboki jest grób i jak spuszcza się do niego trumnę.

Pogrzeb wcale nie jest okazały. Bierze w nim udział tylko pięcioro krewnych zmarłej i młody pryszczaty pastor z reformowanego zboru holenderskiego. Piątkę żałobników tworzy wuj Albert z żoną i synem oraz sam chłopiec i jego matka. Nie widział wuja Alberta od lat. Starzec chodzi o lasce, prawie zgięty w pół; z bladoniebieskich oczu płyną mu strugi łez; skrzydełka kołnierzyka sterczą, jakby krawat zawiązały cudze ręce.

Przyjeżdża karawan. Przedsiębiorca pogrzebowy i jego pomocnik ubrani są w ceremonialną czerń, dużo bardziej elegancko niż ktokolwiek spośród krewnych nieboszczki (chłopiec włożył szkolny mundurek Świętego Józefa: nie ma przecież garnituru). Pastor odmawia po bursku modlitwę za zmarłą siostrę; karawan ustawia się tyłem do grobu i na ułożone w poprzek dołu żerdzie wysuwa się trumnę. Ku rozczarowaniu chłopca nie zostaje ona spuszczona na dno (najwidoczniej trzeba z tym zaczekać, aż przyjdą grabarze), ale przedsiębiorca pogrzebowy dyskretnie daje znak, że krewni mogą już rzucić na wieko grudki ziemi.

Zaczyna padać drobny deszczyk. Już po sprawie; mogą odejść, wrócić do własnego życia.

Wśród całych akrów starych i nowych grobów ruszają alejką w stronę bramy; chłopiec idzie za matką i jej kuzynem, synem wuja Alberta; ci dwoje rozmawiają półgłosem. Zauważa, że idą takim samym ciężkim krokiem, tak samo podnoszą nogi i ociężale stawiają je na ziemi, na przemian lewą i prawą, jak wieśniacy w sabotach: du Bielowie z Pomorza, wsiowi prostacy, tak powolni i ociężali, że nie nadają się do miasta; są tu nie na miejscu.

Myśli o ciotce Annie, którą porzucili na deszczu, w zapomnianym przez Boga Woltemade; i o długich czarnych szponach, które w szpitalu obcięła jej pielęgniarka, a teraz nikt już nigdy ich nie obetnie.

– Ależ ty dużo wiesz – powiedziała mu kiedyś ciotka Annie. Nie była to pochwała: staruszka zacisnęła wprawdzie usta w kształt uśmiechu, ale jednocześnie kręciła głową. – Taki młody, a już tyle wiesz. Jak utrzymasz to wszystko we własnej głowie?

Pochyliła się i popukała go kościstym palcem w czaszkę.

Ten chłopiec jest wyjątkowy, powiedziała jego matce ciotka Annie, a matka mu to powtórzyła. Ale na czym polega ta wyjątkowość? Nikt mu tego nigdy nie mówi.

Doszli do bramy. Rozpadało się na dobre. Zanim wsiądą w pociąg do Plumstead z przesiadką w Salt River, będą musieli dobrnąć wśród deszczu do stacji w Woltemade.

Mija ich karawan. Matka podnosi rękę, żeby go zatrzymać, i rozmawia z przedsiębiorcą pogrzebowym.

– Podwiozą nas do miasta – mówi.

Chłopiec musi więc wleźć do karawanu; siedzi wciśnięty między matkę a przedsiębiorcę pogrzebowego, karawan spokojnie sunie jezdnią Voortrekker Road, a on nienawidzi matki za ten pomysł z podwózką i ma nadzieję, że nikt ze szkoły go nie zobaczy.

– Ta pani była, zdaje się, nauczycielką – mówi przedsiębiorca pogrzebowy. Ma szkocki akcent. Imigrant: cóż on może wiedzieć o Południowej Afryce i o takich ludziach jak ciotka Annie?

Nigdy w życiu nie widział bardziej włochatego człowieka. Czarne włosy rosną przedsiębiorcy pogrzebowemu w nozdrzach i w uszach, sterczą kępkami spod krochmalonych mankietów.

– Tak – odpowiada matka. – Uczyła ponad czterdzieści lat.

– Czyli zostawiła po sobie coś dobrego – ciągnie przedsiębiorca. – Nauczanie to szlachetny zawód.

– Co się stało z książkami ciotki Annie? – pyta potem chłopiec matkę, kiedy już znów są sami. Mówi w liczbie mnogiej, ale chodzi mu wyłącznie o *Ewige Genesing*, jedną książkę w wielu egzemplarzach.

Matka nie wie albo nie chce powiedzieć. Podczas podróży wiodącej z mieszkania, w którym ciotka złamała staw biodrowy, poprzez szpital i dom starców w Stikland aż na cmentarz numer trzy w Woltemade nikt ani razu nie pomyślał o tych książkach, nikt oprócz może samej ciotki Annie nie poświęcił ani jednej myśli książkom, których nikt nigdy już nie przeczyta; a teraz ciotka Annie leży na deszczu i czeka, aż ktoś będzie miał czas ją pochować. Od myślenia jest już tylko on sam. Jakże utrzyma to wszystko we własnej głowie, wszystkie książki, wszystkich ludzi, wszystkie opowieści? A jeśli on ich nie spamięta, to kto?

Społeczny Instytut Wydawniczy Znak,
ul. Kościuszki 37, 30-105 Kraków. Wydanie I, 2007.
Druk: Rzeszowskie Zakłady Graficzne SA, Miłocin 181 k. Rzeszowa.